Harriet S. Schiff:
Verwaiste Eltern

Aus dem Amerikanischen von
Christa Reich

Deutscher
Taschenbuch
Verlag

Ungekürzte Ausgabe
Mai 1986
Deutscher Taschenbuch Verlag GmbH & Co. KG,
München
© 1977 Harriet Sarnoff Schiff
Titel der amerikanischen Originalausgabe:
›The Bereaved Parent‹
Crown Publishers, Inc., New York 1977
© der deutschsprachigen Ausgabe:
1978 Kreuz Verlag, Stuttgart
ISBN 3-7831-0556-0
Umschlaggestaltung: Boris Sokolow
Gesamtherstellung: C. H. Beck'sche Buchdruckerei,
Nördlingen
Printed in Germany · ISBN 3-423-15019-X

Das Buch

Eltern, die den Tod eines Kindes zu beklagen haben, brauchen in ihrer Verzweiflung Trost sowie Hilfe und Rat. Harriet S. Schiff hat 1968 selbst ihren zehnjährigen Sohn verloren. Wie es ihr gelang, trotz dieses schrecklichen Verlustes weiterzuleben und neuen Lebensmut zu finden, davon berichtet sie in diesem Buch. Ihre eigenen Erfahrungen hat sie außerdem durch Gespräche mit vielen anderen »verwaisten Eltern« erweitert. Sie spendet keinen billigen Trost, sondern gibt ganz praktische und unsentimentale Hilfe zur Bewältigung eines so schweren Schicksals. Dieses Buch »macht den Tod nicht zu etwas Schönem, tröstet nicht auf unrealistische Weise, aber es sagt die Wahrheit; und deshalb ist es so ermutigend und hilfreich ... Viele Eltern werden dadurch erfahren, daß sie nicht allein sind und daß es möglich ist, das Leben wieder zu erlernen.« (Elisabeth Kübler-Ross).

Die Autorin

Harriet Sarnoff Schiff, 1935 geboren, lebt und arbeitet als Journalistin und Reporterin in den Vereinigten Staaten. Sie ist verheiratet und hat zwei Kinder.

Inhalt

Zum Gedächtnis an unseren kleinen Sohn Robby

»Mit diesem Buch will ich keineswegs den seelischen Schmerz der Betroffenen vergrößern. Vielmehr möchte ich den Leser Schritt für Schritt auf einen Weg bringen, der ihn aus dem tiefen Kummer, in dem er zu versinken droht, hinausführt in das Land des Lebens. «

Harriet Sarnoff Schiff

Einführung

Es war einmal ein Fürst, der vor aufständischen Rotten fliehen mußte. Die Rebellen wollten ihn töten und einen anderen auf den Thron setzen. In seiner Angst suchte der Fürst in der Hütte eines Bauern Zuflucht.

Obwohl der Bauer keine Ahnung davon hatte, daß dieser Mann dem Adelsstand angehörte, gewährte er dem Fürsten Unterschlupf und hieß ihn sich unter dem Bett verstecken. Kaum war das geschehen, da schlugen auch schon die Verfolger die Tür ein und begannen, die Hütte zu durchsuchen.

Überall schauten sie nach. Als sie an das Bett kamen, beschlossen sie, das unförmige Möbelstück nicht fortzuschieben, sondern einfach mit Messern hineinzustechen. Schließlich gingen sie fort.

Als der Fürst merkte, daß seine Verfolger verschwunden waren, kroch er unter dem Bett hervor – blaß, aber lebendig. Er wandte sich an den Bauern und sagte: »Wisse wohl, daß du eben deinem Fürsten das Leben gerettet hast. Nenne mir drei Wünsche, ich will sie dir gewähren.«

Der Bauer war ein einfacher Mann. Er dachte ein wenig nach und sagte dann:

»Meine Hütte ist so baufällig, und ich habe kein Geld, um sie wieder instand zu setzen. Darf ich darum bitten?«

»Du Tor!« rief der Fürst. »Warum, um alles in der Welt, erbittest du nur eine solche Kleinigkeit? Nun wohl, ich werde deinen Wunsch erfüllen. Was begehrst du weiter?«

»Ach, Herr, mein Nachbar verkauft auf dem Markt die gleiche Ware wie ich. Könnte er vielleicht einen anderen Standplatz bekommen, damit wir beide unseren Unterhalt etwas leichter verdienen?«

»Idiot!« sagte der Fürst. »Natürlich werde ich deine Bitte erfüllen. Wie dumm ist es von dir, solche närrischen Wünsche zu äußern! Du könntest viele Reichtümer erhalten. Nimm dich in acht und errege mit deinem dritten Begehren nicht aufs neue meinen Unwillen!«

Der Bauer konnte seine Neugierde nicht länger bezähmen

und sagte: »Ich möchte dich bitten, mir zu sagen, wie du dich gefühlt hast, als die Männer mit ihren Messern in das Bett gestochen haben!«

Der Fürst wurde ganz rot vor Wut und schrie: »Du wagst es, meine Majestät zu beleidigen und nach meinen Gefühlen zu fragen? Das sollst du büßen! Morgen wirst du enthauptet.«

Der Fürst rief einige Wachen herbei und ließ den unglücklichen Mann in den Kerker werfen.

Die ganze Nacht weinte der Mann über seine Torheit und fürchtete sich vor dem Morgen.

Bei Sonnenaufgang kamen die Gefängniswärter und führten ihn auf einen Hof. Dort stand schon der Scharfrichter in seiner schwarzen Kapuze und erwartete den geängsteten Mann.

Er mußte sein Haupt auf den Block legen. Dann hörte er, wie ein Soldat zählte: »Eins, zwei ...« Aber bevor er »drei« sagen konnte, kam ein Reiter in den Hof galoppiert und rief: »Halt! Der Fürst gebietet es!«

Da zog der Scharfrichter das Schwert von dem Nacken des Bauern zurück. Zitternd erhob sich der Mann und blickte den Boten an, der ihm das Leben gerettet hatte.

»Seine Hoheit gewährt dir Pardon. Hier ist ein Schreiben, das ich dir überreichen soll.«

Der Bauer, den Tränen nahe, fing an zu lesen. Es waren nur wenige, knappe Sätze:

»Dein dritter Wunsch war, von mir zu erfahren, wie ich mich fühlte, als ich unter dem Bett lag und meine Verfolger nach mir suchten. Ich habe auch diese Bitte erfüllt: jetzt weißt du es!«

Eindrücklicher, als es Worte je vermocht hätten, hatte der Fürst dem Bauern gezeigt, welch schreckliche Qualen er durchlitten hatte.

Er war so weise gewesen, zu erkennen, daß es Dinge gibt, die man nicht in Worte fassen kann. Wie gewählt diese Worte auch sein mögen – wenn sich mit ihnen nicht eine gleichlaufende Erfahrung verbindet, dann stoßen sie ins Leere.

So ist es auch bei leidtragenden Eltern, die ein Kind verloren haben. Es gibt wohl keinen, der dieses harte Schicksal erlebt und im Umgang mit einem anderen Menschen nicht hin und wieder im stillen gedacht hätte: »Du kannst einfach nicht wissen, wie das ist!«

Fast immer wird dieser Gedanke wach, wenn liebe Angehörige und Freunde vergeblich versuchen, einen zu trösten oder zu beruhigen. Ihre Freundlichkeit wiegt fast nichts gegenüber der Verzweiflung, die Eltern überkommt, wenn ihnen ein Kind stirbt.

Was der Fürst dem Bauern klargemacht hat, gilt auch für uns: Unsere Gefühle können nur von anderen leidtragenden Eltern nachempfunden und wirklich verstanden werden.

Als unser zehnjähriger Sohn im Jahre 1968 starb, waren wir von wohlmeinenden Leuten umgeben, die die beste Absicht hatten, uns zu helfen und in unserem Schmerz zu trösten. Immer wieder versicherten sie uns, es würde alles wieder besser werden. Ihre Versicherungen erreichten uns nicht. Während sie redeten, sahen wir sie an – sie alle – und dachten: »Was wissen *sie* schon!« Schließlich würden sie ja nach ihrem Besuch unser Trauerhaus verlassen und zu ihren intakten Familien zurückkehren.

Wir hätten damals einen Menschen gebraucht, der uns hätte sagen können: »Mich hat dasselbe Schicksal getroffen. Ich habe es durchgestanden. Ihr könnt es auch. Ich will euch ein paar Ratschläge geben, die vielleicht ein wenig hilfreich sind.«

Eine solche Begegnung wäre für uns von unschätzbarem Wert gewesen. Und wahrscheinlich wäre uns manche bittere Erfahrung erspart geblieben, wenn andere Menschen, die die gleiche Tragödie vor uns erlebt hatten, uns einige warnende Hinweise gegeben hätten.

Vor nicht allzu langer Zeit starb ein achtzehnjähriger junger Mann, der mit unserem ältesten – dem am Leben gebliebenen – Sohn flüchtig bekannt gewesen war. Wir kannten seine Eltern zwar nicht näher, aber doch so gut, daß wir bei ihnen einen Beileidsbesuch machten. Das Haus war voller Menschen. Aber als sie uns sahen, ließen sie alle anderen sitzen und baten uns, mit ihnen in ein Nebenzimmer zu gehen. Der Vater des Jungen legte seinen Kopf an die Schulter meines Mannes und weinte. Mein Mann hielt ihn in den Armen, strich ihm übers Haar und beruhigte ihn. Die Mutter ergriff meine Hände und weinte.

Wir besaßen nicht etwa ein geheimes Wissen über die Kunst des Tröstens. Aber wir hatten etwas, das nur wenige ihnen geben konnten. Wir hatten Erfahrung. Als sie uns sahen, sahen sie den Vater und die Mutter eines toten Kindes, die trotz ihrer Trauer weiterleben konnten.

Wir saßen etwa eine halbe Stunde lang bei ihnen und versicherten ihnen, daß sie es überstehen würden. Wir warnten sie vor einer Reihe von Fehlern, die wir gemacht hatten. Sie hörten zu.

Etwa ein Jahr später begegnete ich der Mutter zufällig wieder. Sie dankte mir noch einmal für unseren Kondolenzbesuch. Sie erzählte mir, sie hätten auch von vielen anderen Seiten vernünftige Ratschläge bekommen. Die wären alle zum einen Ohr hinein- und zum anderen hinausgegangen. Aber was wir ihnen gesagt hatten, war ihnen im Gedächtnis geblieben, denn unser Rat war der Rat von Leuten gewesen, die dasselbe Schicksal durchlitten hatten.

Kürzlich war ich dabei, wie sich zwei Frauen begegneten, die einander schon von der Schulzeit her kannten. Es entspann sich eine kurze Unterhaltung zwischen ihnen, und als die eine dann fortging, wendete sich die andere an mich und sagte: »Da geht der freundlichste und gütigste Mensch, den ich je kennengelernt habe. Wir hatten einander seit zehn Jahren nicht mehr gesehen. Da starb meine Tochter. Als meine Bekannte davon in der Zeitung las, rief sie mich an. Sie sagte, ich fände es hoffentlich nicht aufdringlich, aber sie wollte mir doch erzählen, daß auch ihr Junge vor einem Jahr gestorben wäre. Und im Augenblick wollte sie nichts anderes – abgesehen von der Bekundung ihres Mitgefühls – als mir versichern, daß wir überleben würden. Wir würden es schaffen.«

Die Frau wischte sich die Tränen aus den Augen und fuhr fort: »Viele Leute kamen damals zu uns. Aber mir ist vor allem im Gedächtnis geblieben, was diese Frau gesagt hat. Sie hat mir Kraft gegeben, als ich selbst keine hatte.«

Wenn ich das für dich tun kann – wenn ich dich wirklich davon überzeugen kann, daß es noch einen Sinn für dein Leben gibt, dann ist es der Mühe wert gewesen, daß ich bei mir und anderen so viele schmerzliche Erinnerungen wieder wachgerufen und dieses Buch geschrieben habe.

Kürzlich sprach ich vor einer Gruppe von leidtragenden Eltern. Wie das bei Gastvorträgen immer ist, kamen hinterher einige meiner Zuhörer nach vorn, um mir zu danken. Ein Mann schüttelte mir die Hand und sagte, meine Vitalität hätte ihm neuen Lebensmut gegeben. Eine Mutter, deren Junge ermordet worden war, erzählte, daß sie jeden Monat einmal eine solche Zusammenkunft besuchte, auf der geschulte Berater über die verschiedenen Aspekte der Trauer sprächen. Aber heute hätte sie zum ersten Mal eine Veranstaltung erlebt, auf der ein Mensch Hoffnung verbreitet hätte.

Ich glaube sicher, daß auch diese Sozialarbeiter den Leidtragenden die Gewißheit vermitteln wollten, daß sie ihren Schmerz überleben würden. Aber anscheinend war diese Botschaft bei den Zuhörern nicht recht angekommen. Die meinige dagegen war offenbar angekommen. Vielleicht deswegen, weil ich, was ich zu sagen hatte, nicht in einer Ausbildung, sondern durch Leiden gelernt hatte.

Natürlich hätte uns in den ersten Tagen nach dem Tod unseres Sohnes kein Mensch einfach übers Haar streichen und uns davon überzeugen können, daß schon alles wieder gut werden würde. Auch dieses Buch kann das nicht für dich tun. Aber es will dir Richtlinien geben und praktische Vorschläge machen, wie du Schritt für Schritt vorankommen kannst. Viele Eltern, die ihren Schmerz inzwischen bewältigt haben, und viele Menschen, die von Berufs wegen mit Trauernden umgehen, haben daran mitgearbeitet.

Es gibt leidtragende Eltern jeden Alters, jeder Hautfarbe, jeder Religion. Eltern mit toten Säuglingen, Eltern, deren Sohn im Krieg sein Leben ließ, Eltern, die selbst schon älter sind und ihre Kinder in der Mitte des Lebens begraben mußten. Sie alle haben es verzweifelt nötig, daß ihnen gesagt wird, wie es anderen Menschen, die das gleiche Schicksal getroffen hat, gelungen ist, mit ihrer Trauer und mit dem Leben fertig zu werden.

Es ist aber nicht nur wichtig, daß du weißt, du stehst nicht allein. Ebenso wichtig ist, daß du weißt: Ich kann weitermachen: ich werde weitermachen.

Oft wird gesagt, der Tod unseres Kindes sei das entsetzlichste Unglück, das uns treffen kann. Ich glaube, das ist wahr. Aber dieses Unglück darf nicht dein ganzes Leben ausmachen – du darfst nicht alles, was um dich herum existiert, auch noch sterben lassen. Du hast andere Kinder, du hast einen Ehepartner, Schwestern, Brüder, Freunde. Sie haben es nötig, und sie sind es wert, daß du deinen Platz im Leben ausfüllst.

Dieses Buch soll dir dazu helfen.

> Du kannst die Vögel der Trauer nicht daran
> hindern, über deinem Haupt zu kreisen –
> wohl aber daran, in deinem Haar Nester zu
> bauen.
>
> Chinesisches Sprichwort

Als der Mann sah, daß sein Sohn dem Tode nahe war, legte er seine schönen Kleider ab und hüllte sich in einen Sack und fastete. Vielleicht, so hoffte er, könnte er durch diese Opfer sein geliebtes Kind retten. Aber alle ärztliche Kunst war vergeblich – sieben Tage später starb der Knabe. Da zog der Mann seine prächtigen Gewänder wieder an und ließ sich ein reiches Mahl auftragen. Und als ihn seine Freunde fragten, wie er essen könne, da doch gerade sein Kind gestorben sei, antwortete er: »Solange mein Sohn am Leben war, habe ich getan, was in meiner Kraft stand, um ihn zu retten. Aber jetzt ist er tot, und mir bleibt nichts anderes übrig, als die Scherben, die von meinem Leben übrig geblieben sind, aufzusammeln und weiterzuleben.«

Jener Mann war der König David. Er hatte in seiner Weisheit eine Erkenntnis gewonnen, zu der sich ungezählte Eltern im Laufe eines schmerzhaften Prozesses haben durchringen müssen.

Das Leben geht weiter. Wir müssen weiterleben.

Wenn wir nicht Selbstmörder sein wollen, bleibt uns keine andere Wahl. Das Problem ist nur, wie wir weiterleben und mit dem unfaßbar Schrecklichen, das uns getroffen hat, fertig werden sollen.

Ob Sohn oder Tochter nun im Schlamm eines asiatischen Reisfeldes oder in der antiseptischen Atmosphäre eines Krankenhauses gestorben sind, ob ein jäher Unfall sie uns entrissen oder eine schleichende Krankheit sie dahingerafft hat – am Ende läuft alles auf das gleiche hinaus.

Wir, die Eltern des Kindes haben offenbar ein Naturgesetz übertreten: Wir haben unser Kind überlebt. Und ausgerechnet jetzt, da wir zutiefst betroffen und aufgewühlt sind, erhebt sich für uns eine Grundfrage, die nach einer klaren Antwort verlangt.

Wollen wir in Zukunft wirklich noch leben, oder wollen wir nur noch existieren?

Als sich mir diese Frage stellte, wählte ich das Leben. Und wenn mir auch monatelang alles gleichgültig war, und wenn mir auch angst und bange wurde bei dem bloßen Gedanken, ich könnte vielleicht vierzig oder fünfzig Jahre nach dem Tod meines kleinen Sohnes immer noch am Leben sein, so weiß ich doch, daß ich damals die richtige Wahl getroffen habe.

Jahre sind seitdem vergangen, und immer noch wird es mir weh ums Herz, wenn ich daran denke, wie er auf der Intensivstation der Universitätsklinik von Alabama lag, inmitten eines Gewirrs von Drähten, Leitungen und elektronischen Apparaten, die wie Höllenmaschinen aussahen. Immer noch durchfährt mich der Schmerz, wenn ich mich daran erinnere, wie verzweifelt er nach der Herzoperation um sein Leben kämpfte.

Und immer noch schnürt es mir die Kehle zu, wenn ich mir jenen Augenblick ins Gedächtnis zurückrufe, in dem ein Arzt meinen Mann zu einer Unterredung unter vier Augen in ein kleines Sprechzimmer auf der Intensivstation bat.

Aus der fieberhaften Geschäftigkeit, mit der Schwestern und Ärzte sich am Bett unseres Kindes zu schaffen machten, hatten wir schon entnommen, daß sich die Lage bedrohlich zugespitzt hatte. Obwohl der Patient die schwere Operation überstanden hatte, befand er sich nun, vierundzwanzig Stunden danach, anscheinend in einem kritischen Zustand. Die Ärzte liefen hin und her – einer von ihnen sollte uns später ein lieber Freund werden – und wichen unserem fragenden Blick aus.

Die ganze Zeit über – uns schienen es Stunden – standen wir hilflos da, ohne das tun zu können, was Eltern fast instinktiv tun möchten: ihrem Kind zu Hilfe eilen, es beschützen und vor Schaden bewahren. Wir durften nicht einmal sein Zimmer betreten. Wir durften es nicht einmal anfassen oder zu ihm sprechen.

Ich weiß noch, wie wild mein Herz schlug, so daß ich dachte, es müßte zerspringen. Und ich weiß noch, wie ich da Hand in Hand mit meinem Mann stand und darauf wartete, daß jemand käme und sagte, es würde alles gut – auch wenn ich wußte, daß das nicht stimmte.

Als der Arzt meinen Mann in das kleine Sprechzimmer bat, fragte ich ihn, ob ich nicht mitkommen dürfte. Er sah mich einen Augenblick lang ernst an und sagte dann, dem stände natürlich nichts im Wege.

Wir gingen hinter ihm her, und dann sagte er uns an jenem hellen, sonnigen Märzmorgen, daß Robby gestorben war. Ich schrie auf. Eine Krankenschwester, die selbst Tränen in den Augen hatte, bot mir ein Beruhigungsmittel an. Wie kann sie das nur tun, dachte ich bei mir. Robby ist tot, und ich soll mir eine Pille geben lassen, damit ich nicht daran denke. Unerträglich.

Aber seitdem habe ich gelernt, daß das Leben weitergeht – auch wenn ich Erinnerungen mit mir herumtrage, die unauslöschlich sind und auf die ich größtenteils auch gar nicht verzichten will. Das Leben geht weiter. So soll es sein. Das Problem ist bloß, daß wir, die hinterbliebenen Eltern, so oft meinen, wir könnten nicht mehr mit dem Leben mithalten, – es sei zu schwer für uns. Noch etwas anderes habe ich gelernt, und das ist fast noch wichtiger. Immer wieder habe ich es versucht, manchmal schlugen meine Versuche fehl, aber manchmal hatte ich auch Erfolg und kam ein Stück weiter: Es gibt bestimmte Schritte, die Eltern nach dem Tod ihres Kindes tun können und auch tun müssen, wenn sie ihrem Leben überhaupt noch irgendeinen Sinn geben wollen.

Zu Anfang ist das nicht leicht. Allzuoft müssen wir ja gegen das natürliche Aufwallen unseres Schmerzes kämpfen – und gleichzeitig gegen das natürliche Verlangen, diesem Schmerz nachzugeben. Beides braucht seine Zeit. Wenn man nach solch einem tragischen Ereignis ständig mit einem gefrorenen Lächeln auf dem Gesicht herumläuft, so ist das ebenso unnatürlich, wie wenn man überhaupt nicht mehr aufhört zu weinen. Im Grunde ist das eine Frage des inneren Gleichgewichts.

Unglücklicherweise handelt es sich hierbei um eine Art von Gleichgewicht, die man weder wiegen noch messen noch sehen kann. Auch läßt sich das rechte Maß von beidem nicht einfach auf eine Formel bringen. Man muß es fühlen. So wie sich ein Blinder in einer neuen Umgebung allein zurechtfinden muß, so mußt du, du für dich allein, tastend und schrittweise die gesunde Ausgewogenheit von Lachen und Weinen suchen.

Für den einen mag das so aussehen, daß er sich für eine Stunde am Tag von seinem Kummer zu lösen vermag, während ein anderer vielleicht gerade diese Zeit braucht, um sich auszuweinen. Wichtig ist, daß beides getan wird.

Hinterbliebene Eltern können verschiedenen Alters sein. Es macht offenbar keinen großen Unterschied, ob das Kind drei, dreizehn oder dreißig Jahre alt ist, wenn es stirbt. Unsere Reaktion ist in allen Fällen gleich.

Wie sollen Eltern ihr Kind überleben können?

Eine über achtzigjährige Frau kommt über den Tod ihrer fünfundvierzig Jahre alten Tochter nicht hinweg. Obwohl sie bereits Urgroßmutter ist und fast ein halbes Jahrhundert lang die Liebe ihrer Tochter erfahren hat, bleibt sie dabei, daß die Welt für sie nie mehr in Ordnung kommen wird.

»Joanie rief mich jeden Tag an. Ich habe mich nie in ihre Dinge eingemischt und sie sich auch nicht in die meinigen. Aber sie gehörte zu meinem Leben, und jetzt ist sie nicht mehr da.«

Immer wieder klagt die alte Frau darüber, daß sie weiterleben muß mit ihrem Schmerz.

Ebenso trostlos sind die jungen Eltern, deren Säugling zu Hause im eigenen Bettchen stirbt. Am Abend haben sie ihn noch geherzt und geküßt und dann schlafen gelegt, und am nächsten Morgen – ohne jedes warnende Vorzeichen – finden sie ihn tot.

Der Tod fragt nicht nach Vermögen oder Hautfarbe. Es kommt nicht darauf an, ob das Kind aus einer begüterten oder aus einer armen Familie stammt. So haben wir gewiß keine Ausgabe gescheut, um Robby zu retten, und doch endete alles so, als wären wir mittellos. Er war tot.

Eine schwarze Mutter, die nur wenig Geld hatte und ihr Kind ebenso zärtlich umsorgte und umhegte wie ich das meine, empfand den gleichen herben Schmerz wie ich, als ihr

Sohn im Alter von zweiundzwanzig Jahren meuchlings erschossen wurde. Er war tot, und sie war noch am Leben.

Nicht anders war das Erlebnis einer anderen Mutter, deren einziger Sohn im Vietnamkrieg ums Leben kam. Sie hatte sich gesorgt. Sie hatte geliebt. Und nun war ihr Kind tot.

Die äußeren Umstände mögen sich voneinander unterscheiden, aber die Empfindungen der Betroffenen sind überall dieselben. Das eigene Kind ist gestorben. Welch unsagbarer Verlust!

Noch heute kann mich dieses Gefühl überkommen; noch heute befällt mich der Schmerz, wenn ich an die Lebensjahre denke, die meinem zehnjährigen Sohn eigentlich hätten beschieden sein können.

Aber ich habe gelernt, trotzdem weiterzuleben. Mehr noch, ich habe gelernt, mich wieder am Leben zu freuen, auch wenn ich hinter meinem Lachen immer wieder die Klage meines Herzens vernehme.

Der Tod eines Kindes ist für die Angehörigen mehr als lediglich ein deutlicher Einschnitt in ihrem Leben. Es ist vielmehr unvermeidlich, daß dieses Ereignis – und alles, was mit ihm zusammenhängt, angefangen vom ersten Schock bis hin zum Erlebnis der Beerdigung – tief zerstörerisch auf das gesamte emotionale Gefüge der Betroffenen wirkt.

So grausam es ist – in der großen Mehrzahl der Fälle müssen wir Eltern nicht nur mit dem Schmerz um den Tod unseres Kindes fertig werden; sehr oft haben wir außerdem auch noch schwere familiäre Krisen durchzumachen. Nicht selten sind Trunksucht, Trennung, Scheidung oder zumindest Entfremdung die Folge eines solchen Schicksalsschlages.

Es sieht so aus, als ob die schwergeprüften Eltern gerade in dieser Situation noch einen weiteren Verlust hinnehmen müssen: den Verlust jeglicher Illusion, die sie je über ihren Partner gehegt haben mögen.

Kurz nach Robbys Tod kam ein älteres Ehepaar zu einem Beileidsbesuch. Offensichtlich fiel es den beiden, trotz allen guten Willens, schwer, die rechten Worte des Trostes zu finden. Es wurde eine peinliche halbe Stunde, und am Ende sagte die Frau: »Nun ja, Sie sind ja wenigstens zu zweit und können einander trösten.«

Von außen betrachtet, schien sie recht zu haben. Schließlich hatten mein Mann und ich ja gemeinsam die schlimmen Minuten im Sprechzimmer des Krankenhauses erlebt, waren von demselben Schicksalsschlag getroffen worden und hatten miteinander zugesehen, wie unser geliebtes Kind in die Erde gelegt wurde.

Also war es logisch, anzunehmen, daß der eine bei dem anderen Trost finden konnte. Und doch haben viele Eltern, deren Kind starb, eine gegenteilige Erfahrung machen müssen. Zwei Menschen, die gleiches Leid zu tragen haben, können einander nicht trösten.

Eltern aus den verschiedensten sozialen Schichten und mit den unterschiedlichsten Lebensläufen haben sich in diesem Punkt völlig übereinstimmend geäußert: Man erwartet zu viel vom Partner, und man bekommt zu wenig. Viele dieser Paare sind inzwischen geschieden.

In der ersten Zeit nach Robbys Tod wurde uns diese Seite des Problems überhaupt nicht bewußt. Mein Mann und ich waren viel zu sehr damit beschäftigt, unser inneres Gleichgewicht einigermaßen wiederzufinden. Auch hatten wir uns zahlreichen kondolierenden Besuchern zu widmen, und so fehlte uns die Muße, um darüber nachzudenken, wie wenig wir uns im Grunde gegenseitig zu trösten vermochten.

Man stelle sich zwei Leute vor, die über eine lange Strecke gemeinsam einen schweren Karren zu ziehen haben. Der eine wird müde, läßt etwas nach und schiebt dem anderen so einen größeren Teil der Last zu. Der wiederum ärgert sich über die vermehrte Arbeit und fängt an zu murren. Und nun fühlt sich der erste schlecht behandelt, weil sein Kumpan keine Rücksicht auf seinen Erschöpfungszustand nimmt. Tauschen die beiden die Rollen, dann nimmt dieselbe Entwicklung unter entgegengesetzten Vorzeichen ihren Lauf.

Bei einem Ehepaar, von dem ich immer angenommen hatte, es sei glücklich verheiratet, konnte ich dieses Hin und Her beispielhaft erleben. Der Sohn der beiden, ein junger Mann, war kurz vor seiner Hochzeit in einem dunklen Stadtviertel überfallen und ermordet worden.

Der Vater, ein Fabrikarbeiter, der seit über zwanzig Jahren denselben Posten hat und früher immer stolz darauf war, daß er so regelmäßig zur Arbeit kam, ertränkt jetzt seinen Kummer in Alkohol und verbummelt dabei immer wieder seine Arbeitstage. Anstatt zur Fabrik zu gehen, nimmt er seine Whiskyflasche, geht in sein Schlafzimmer und trinkt und trinkt und trinkt.

Seine Frau begegnet dem nicht etwa mit Mitleid, sondern eher mit Abscheu. Sie droht, ihn zu verlassen, wenn er nicht mit dem Trinken Schluß macht. Aber es nützt nichts. Sie sagt, sie könne ihm nicht helfen, und sie ist aufgebracht darüber, daß er ihr in keiner Weise hilft. »Jeder von uns ist auf seine Weise unglücklich. Ich kann ihm nicht helfen. Er kann mir nicht helfen. Sicher sollte es eigentlich anders sein, aber es ist nun einmal so«, sagt seine Frau.

Die Dinge so wahrzunehmen, wie sie wirklich sind, ist besonders schmerzhaft, wenn ein Kind stirbt. Dann nämlich sind nackte Tatsachen das, was wir am wenigsten vertragen können. Besonders am Anfang hält sich in unserem Hinterkopf hartnäckig die Vorstellung, daß doch alles nur ein Traum sei. Unser Sohn kann doch gar nicht gestorben sein. Unsere Tochter kann doch nicht für immer fortgegangen sein. Wir werden aufwachen, und alles wird ein Traum gewesen sein.

Aber langsam kommen die meisten von uns dahin, daß sie sich eingestehen: Unser Kind ist für immer dahingegangen. Und damit ist der Augenblick gekommen, in dem Eltern mit der bittersten Lebenswirklichkeit konfrontiert werden. Letztlich ist diese Konfrontation absolut nötig, wenn wir nach dem Tode unseres Kindes weiterleben wollen.

Diese Konfrontation mag sich zunächst in dem schlichten Medium der Sprache vollziehen. Robby ist nicht »von uns gegangen«. Er wurde auch nicht »in den Himmel aufgenommen« oder »früh vollendet«. Er starb. Diese beiden Worte sind kalt und brutal. Sie sind wahr.

In der ersten Zeit, als ich noch nicht den Entschluß gefaßt hatte, künftig zu leben und nicht bloß zu existieren, habe ich mich häufig solcher Euphemismen bedient – nicht nur im Gespräch mit anderen, sondern auch mir selbst gegenüber. Erst als ich denken konnte: »Robby ist tot«, vermochte ich auch zu denken: »Aber ich bin lebendig.«

Die Beerdigung

Freunde sind dazu da, daß sie unseren Schmerz mitempfinden.

Joshua Loth Liebman

Einst bat ein chinesischer Diener seinen Herrn, einen Abendländer, er möge ihm gestatten, an der Beerdigung seines Vetters teilzunehmen. Großzügig gewährte ihm sein Herr diese Bitte, aber dann fragte er mit spöttischer Herablassung, ob denn auch nach alter chinesischer Sitte eine mit Reis gefüllte Schüssel an den Rand des Grabes gestellt und dort zurückgelassen werde.

»Gewiß«, antwortete der Diener.

Sein Herr lachte auf und fragte, wann denn wohl der Vetter den Reis esse.

»Wahrscheinlich ungefähr dann, wenn Ihre vorige Woche verstorbene Tante den Duft der Blumen riecht, die Sie ihr aufs Grab gelegt haben«, entgegnete der Diener.

Mit anderen Worten: Jedem das Seine.

Beerdigungsbräuche sind natürlich je nach Weltanschauung, Religionszugehörigkeit oder kulturell-nationaler Eigenart verschieden. Die Hauptsache ist, daß die Beerdigung die Situation der leidgeprüften Eltern nicht noch schwerer und bitterer macht, als sie es ohnehin schon ist.

In der übergroßen Mehrzahl der Fälle ist es wichtig, daß die Eltern sich von vornherein darüber im klaren sind, daß es für ihr totes Kind keine wirklich »schöne« Beerdigung geben kann. Zu diesem Zeitpunkt haben sich ja höchstens tiefreligiöse Menschen bereits mit ihrem Schmerz abgefunden. Für alle anderen aber wird die Beerdigung zu einem Ereignis, bei dem man sich auf höchst trügerischem Boden zu bewegen hat. Und so kommt es oft vor, daß Eltern gerade jetzt Fehler machen, die ihnen selbst Jahre später lächerlich erscheinen. Wie gern möchten sie sie dann ungeschehen machen! Natürlich ist das unmöglich. Es bleibt einem dann eben nur der Trost, daß man sich damals in einer derartig extremen seelischen Verfassung befunden hat, daß das eigene Urteilsvermögen getrübt war.

Vielleicht gibt es heute Leute, die den üblichen Beerdigungsgottesdienst ablehnen und statt dessen nach irgendwelchen neuen Formen suchen. Mir persönlich war es eine große Hilfe, daß ich mich in eine uralte, vorgegebene Tradition einfügen konnte und keine Energie darauf verwenden mußte, mir andere Möglichkeiten zu überlegen.

Nach Robbys Tod waren wir für einige Tage zunächst wie betäubt. Das ist wohl fast immer die erste Reaktion auf einen solchen Schlag. Da wir nicht dazu fähig waren, uns auf irgendeine Aufgabe zu konzentrieren, wurde der Ablauf der Dinge für uns ganz wesentlich durch die Tatsache erleichtert, daß die Beerdigungsriten durch unsere Religion bis in die Einzelheiten geregelt waren.

Es kostete uns schon alle Kraft, über nebensächliche Kleinigkeiten zu entscheiden: Wie sollte unser Sohn gekleidet sein? Was durfte die Bestattung kosten?

Nur in einem Punkt erlaubten wir uns eine kleine Abweichung von dem, was sonst auf Beerdigungen üblich ist. Wir bestanden darauf, daß der Geistliche, der Robby nur ein- oder zweimal im Leben begegnet war, keine Lobrede auf unseren kleinen Sohn halten sollte. Wir wußten ja selbst nur allzu gut, wie er gewesen war und was wir verloren hatten. Statt dessen baten wir den Rabbi, für die Feier einen Bibeltext auszusuchen, der eine der unsrigen vergleichbare Situation ansprach. Die Auswahl überließen wir ihm. Er hätte sie nicht besser treffen können. Er erzählte die Geschichte von David und wie er alles nur Mögliche für seinen Sohn tat, solange der Knabe noch am Leben war; wie er aber, sobald sein Kind gestorben war, sich wieder den Anforderungen des Alltags stellte.

Dieser Text war aus zwei Gründen besonders geeignet für uns: Zum einen wollten wir nicht irgendeine herzbewegende Ansprache über uns ergehen lassen, die uns daran erinnerte, was Robby gewesen war und was er nun nie mehr sein würde; zum anderen schien uns hier ein Weg gewiesen zu sein, auf dem wir nach der Beerdigung vielleicht gehen konnten. Wir konnten versuchen, es wie David zu machen und uns wieder dem Leben zuzuwenden.

Aufs Ganze gesehen allerdings brachten uns die Worte des Rabbi – auch wenn sie noch so sorgsam gewählt waren – wenig Trost. Irgendwie fühlten wir uns jenseits aller Tröstungen, unerreichbar.

Es gibt Leute, die es ganz anders machen als wir und den Verlauf der Beerdigung ihres Kindes bis in alle Einzelheiten überlegen. So suchte zum Beispiel eine fromme Katholikin, deren achtjährige Tochter bei einem Autounfall ums Leben gekommen war, jeden Psalm, jedes Gebet und jedes Lied für die Feier selbst aus.

»Ich hatte das Gefühl, dies sei der letzte Dienst, den ich meiner Tochter hier auf Erden tun konnte. Natürlich packte mich immer wieder der Schmerz, während ich mir Gedanken über die Beerdigung machte. Aber ich wußte, daß sie nun bei Gott war – und für sie war ich froh.«

Obwohl sich viele Leute für das herkömmliche Beerdigungszeremoniell entscheiden, gibt es doch auch andere, die der Meinung sind, eine Bestattungsfeier sei nur dann sinnvoll, wenn sie ein höchst persönliches und individuelles Gepräge hat.

So glaubte zum Beispiel eine amerikanische Indianerin, deren vierzehnjähriger Sohn ertrunken war, es sei ganz besonders schön, wenn der Tote in der traditionellen indianischen Gewandung bestattet würde, die er zu Lebzeiten so oft beim Volkstanz getragen hatte. Und so wurde die Leiche auf den Wunsch der Mutter hin in Perlenhemd und Lendenschurz gekleidet. Bei der Beerdigung, die nach katholischem Ritus gehalten wurde, sprach ein Mitglied des Indianerstammes, dem der Junge angehört hatte, zu der Trauerversammlung. Er sagte, der Tote sei nun bei Manitou, dem Großen Geist, und wache von dort aus über die trauernden Angehörigen. Die Mutter berichtete hinterher, die Feier habe ihr das Gefühl einer tiefen Befriedigung vermittelt, weil sie gewußt habe, ihr totes Kind hätte seine Freude daran gehabt.

Eine andere Familie ließ die sterblichen Überreste der Tochter, nachdem sie kurze Zeit aufgebahrt war, verbrennen. Vier Wochen später hielten sie dann abends in ihrem Garten einen Gedenkgottesdienst für die Tote ab, in dessen Verlauf Freunde und Familienangehörige nacheinander aufstanden und ein paar Worte über das Mädchen sagten oder auch Bibeltexte verlasen. Jemand, der das miterlebte, meinte später, diese Art von Feier sei für die betreffende Familie die einzig angemessene gewesen.

In einem anderen Fall gehörten die Eltern des Kindes zwei verschiedenen Konfessionen an. Aus Rücksicht auf den katholischen Vater, dessen religiöse Gefühle er nicht verletzen wollte, verfiel der protestantische Pfarrer auf den Gedanken, während der Beerdigung Passagen aus dem Drama ›Unsere kleine Stadt‹ von Thornton Wilder zu verlesen.

Ich sage es noch einmal: Jedem das Seine. Es gibt keine »richtige« oder »falsche« Beerdigungsfeier.

Allerdings werden die häuslichen Totenfeiern von geschulten Psychologen, die trauernden Familienangehörigen beizustehen haben und Erfahrung im Umgang mit ihnen besitzen, nicht sonderlich geschätzt. Denn nach ihrer Meinung haben die Leidtragenden in jeder einzelnen Phase nach dem Tod eines Kindes Unterstützung von außen bitter nötig.

Häusliche Feiern werden meist von solchen Eltern gewünscht, deren Kind Selbstmord begangen hat oder in kriminelle Aktivitäten verwickelt gewesen ist. Diese Eltern empfinden nicht nur Trauer, sondern auch Scham.

Und doch glaube ich, daß gerade sie – fast noch mehr als andere hinterbliebene Eltern – alle Liebe und Fürsorge und Freundlichkeit, die Freunde oder Bekannte zu geben vermögen, verzweifelt nötig haben.

Unser Kind tot, durch eigene Hand – was könnte es denn Schlimmeres geben? Unser Kind, von uns aufgezogen und geliebt, tot, als Verbrecher gestorben – was könnte bitterer sein?

Wenn man sich in einem solchen Fall auf eigenen Wunsch aller Teilnahme entzieht und in aller Stille eine private Beerdigungsfeier hält, vermehrt man nur den eigenen Schmerz, der ohnehin kaum zu ertragen ist.

Auch in einer anderen Hinsicht wirkt sich eine häusliche Feier oder eine Feier in aller Stille für die Leidtragenden nachteilig aus. Wenn die Beerdigung ausschließlich im privaten Rahmen bleibt, dann haben andere Leute nämlich oft das Gefühl, auch die Trauer sei lediglich eine Privatsache der Betroffenen. Und so scheut man häufig einen Besuch bei den Leidtragenden, und wenn man ihn wagt, vermeidet man es ängstlich, das Gespräch auf das schreckliche Ereignis zu bringen.

Daher führen häusliche Totenfeiern oft dazu, daß das stützende System, dessen Eltern in dieser Situation in besonderer Weise bedürfen, unter Umständen völlig ausfällt.

Ich kann mich wirklich nicht mehr im einzelnen daran erinnern, wer alles bei Robbys Beerdigung in der Trauerhalle oder auf dem Friedhof war, aber mir ist noch heute sehr eindrücklich in Erinnerung, daß ich ganz stark das Gefühl hatte, von allen Seiten von Menschen umgeben, ja von ihnen getragen zu sein. Und wenn ich ab und zu einmal wieder die Beileidsschreiben oder auch die Unterschriften im kirchlichen Kondolenzbuch durchsehe, dann bin ich dankbar dafür, daß diese Menschen sich damals Zeit für uns genommen haben. Sicher ist ihnen das nicht in jedem Fall leicht gefallen, aber uns hat es unendlich gut getan.

Und noch etwas ist wichtig. Viele unmittelbar betroffene Familienangehörige sträuben sich dagegen, den geliebten Menschen nach seinem Tode noch einmal zu sehen. Die Psychologen sind der Meinung, daß gerade dieser Akt besonders wichtig ist. Sie sagen, der gängige Gemeinplatz, man wolle »den Verstorbenen so in Erinnerung behalten, wie er war«, sei in Wirklichkeit unsinnig. Wer so redet, hat den Tod des Betroffenen im Grunde noch nicht akzeptiert, denn dieses »wie er war« bleibt an der Vergangenheit hängen, die für immer vorbei ist. Der Mensch ist eben nicht mehr, »wie er war«. Er ist tot.

Häufig scheuen sich die Leute auch, an der Beerdigung eines Kindes teilzunehmen. Sie fühlen sich unsicher und befürchten, sie könnten etwas Unpassendes sagen oder tun. Dabei kann ihre Gegenwart für die Leidtragenden eine große Hilfe sein.

Richard Obershaw, der am Institut für Todesforschung der Universität von Minnesota lehrt, hat eben diese Tatsache bestätigt. In einem Vortrag vor Sozialarbeitern hat er darauf hingewiesen, wie wichtig es für die Angehörigen ist, daß andere Menschen an der Beerdigung teilnehmen.

»Sie suchen ja in dieser Zeit so verzweifelt nach Trost«,

sagte er, »daß sie nicht einmal den Weg über ein Zeitungsinserat verachten. Sie zahlen dem Bestattungsunternehmer einen zusätzlichen Betrag, damit er eine Notiz über die Beerdigung in die Zeitung setzen läßt. Faktisch bedeutet das, daß sie rufen: ›Wir brauchen eure Hilfe, wir werden zu dieser bestimmten Zeit an jenem bestimmten Ort sein, dann könnt ihr kommen und uns trösten, so gut euch das gelingt.‹«

Viele Leichenbestatter und viele Psychologen, die Erfahrungen im Umgang mit Leidtragenden haben, behaupten, der Anblick der Leiche sei von wesentlicher Bedeutung für den Gesundungsprozeß, den die Angehörigen nach einem Todesfall durchmachen müssen. Der Zeitraum, während dessen man den Tod des geliebten Menschen einfach nicht wahrhaben will, werde dadurch erheblich verkürzt. Schließlich wird man ja, was man mit eigenen Augen gesehen hat, letztlich nicht bestreiten.

Kurz vor der Beerdigung gingen mein Mann und ich hin, um Robby noch einmal zu sehen. Fassungslos starrte ich einige Augenblicke auf mein totes Kind, dann konnte ich buchstäblich nicht mehr ertragen, wie still es da lag, und lief fort.

Ein Vater, der die Leiche seines in Vietnam gefallenen Sohnes sah, warf sich über den offenen Sarg und fing laut zu weinen an, bis ihn der Bestattungsunternehmer schließlich behutsam zu einem Stuhl führte.

Ja, der Anblick tut weh, aber es ist ein Schmerz, der dem Ätzen einer Wunde vergleichbar ist. So schmerzhaft diese Prozedur ist, sie schafft die Voraussetzung dafür, daß die Wunde heilen kann, und genau das gleiche gilt nach Meinung der Psychologen auch für die Auswirkungen, die der Anblick des Toten auf die Leidtragenden hat.

In den Jahren nach Robbys Tod habe ich mir immer wieder überlegt, was wir wohl alles richtig und was wir falsch gemacht haben. Mein mütterlich behütender Instinkt verleitete mich bei der Beerdigung zu einem entscheidenden Fehler. Weil für mich der Anblick der Leiche so schrecklich gewesen war, erlaubte ich meinem damals zwölf Jahre alten anderen Sohn nicht, seinen toten Bruder noch einmal zu sehen. Sicher wäre dieses Erlebnis für den Jungen nicht leicht zu verkraften gewesen, aber er hätte ein Recht darauf gehabt, die Leiche zu sehen, und ich hätte es ihm nicht verweigern dürfen. Leider hat mir damals niemand gesagt, daß meine Übervorsicht meinem Sohn schaden könnte. Sie hat ihm tatsächlich geschadet, denn er brauchte Jahre, bis sich für ihn der Geist seines Bruders endgültig zur Ruhe gelegt hatte.

Meine Tochter war damals vier. Wir nahmen sie nicht mit zur Beerdigung, und sie konnte daher mit dem Tod ihres Bruders noch weniger verbinden. Selbst heute, nach vielen Jahren, trägt sie es uns noch nach, daß wir sie um diese Erfahrung betrogen haben.

Es hat einige Jahre gedauert, bis ich den Kummer über meine Fehlhandlungen überwunden hatte. Heute weiß ich, daß ich mit ihnen nicht allein stehe. Viele Menschen, die auf Beerdigungen zurückschauen, würden heute manches anders machen als damals.

Inzwischen ist aber meine Beunruhigung geschwunden. Falsche Entscheidungen, die man nicht ungeschehen machen kann, vergißt man am besten. Für mich ist dieses Kapitel meines Lebens jetzt abgeschlossen.

So bitter es also für uns sein mag, wenn wir den Toten noch einmal sehen, so heilsam ist es auch. Dafür spricht auch die Tatsache, daß Eltern, deren Söhne als Vermißte im Krieg blieben, eher noch schwerer an ihrem Leid tragen als die Eltern von gefallenen Soldaten. Wir glauben, was wir sehen, und für manchen mag es unmöglich sein, einen geliebten Menschen in Frieden ruhen zu lassen, wenn keine Leiche da ist, die er zur letzten Ruhe betten kann. Viele dieser Eltern glauben insgeheim, daß sie ihr Kind doch noch wiedersehen werden. Vielleicht schon an der nächsten Ecke …

Wie sollen Eltern trauern und danach ein neues Leben aufbauen können, wenn sich diese Trauer ständig mit der Hoffnung auf ein Wiederkommen des Kindes mischt?

Übrigens werden nicht nur Eltern vermißter Soldaten von derartigen Tagträumen heimgesucht.

So durchlitt ein Vater nacheinander beides, erst das Vermissen, dann die Gewißheit. Sein neunjähriger Sohn ertrank beim Schwimmen in einem See. Der Vater durchsuchte das Gewässer immer wieder nach der Leiche seines Kindes. Er konnte einfach nicht mit dem Suchen aufhören. Länger als einen Monat ging das so. Dann fand ein Fischer den Ertrunkenen.

»Er sah entsetzlich entstellt aus«, sagte der Vater. »Aber als ich ihn sah, wußte ich endlich sicher, daß er tot war. Vorher brachte ich es einfach nicht übers Herz, die Suche abzubrechen. Jetzt, da er gefunden war, fühlte ich mich beinahe erleichtert. Eine zentnerschwere Last war von meinen Schultern genommen.«

Anscheinend sind solche Empfindungen in entsprechenden Fällen eher die Regel als die Ausnahme. So kann man immer wieder in den Zeitungen lesen, daß Eltern, deren Kind an einem unbekannten oder aber an einem sehr weit entfernten Ort ums Leben gekommen ist, öffentlich um Unterstützung bei der Suche nach der Leiche bitten und dafür eine Belohnung aussetzen. Die Eltern vermißter Soldaten sind hierfür nur ein Beispiel unter anderen.

Irgendwie bleibt ohne diesen sichtbaren, unwiderlegbaren Beweis des Todes etwas Unfertiges, Halbes an der Trauer der Eltern, und dadurch wird das Gefühl der Unwirklichkeit, das uns sowieso in den schrecklichen ersten Tagen befällt, noch verstärkt.

Schließlich ist die Beerdigung noch in anderer Hinsicht gerade für die ersten Tage von entscheidender Wichtigkeit: Sie schafft für die Leidtragenden einen gesellschaftlich anerkannten Rahmen, innerhalb dessen der Trauer Raum gegeben werden kann. Die Bedeutung dieses Trauerprozesses kann wohl gar nicht überschätzt werden. Ein Beerdigungsunternehmer, der sich neben seiner Tätigkeit auch wissenschaftlich mit Fragen der Sozialarbeit beschäftigt hat, ging kürzlich sogar so weit und behauptete, Jacqueline Kennedy-Onassis habe mit ihrem bewundernswerten Gleichmut, den sie bei der Beerdigung des ermordeten Präsidenten zur Schau trug, anderen Trauernden das Beispiel einer längst überholten Haltung gegeben.

»Sie hat der Welt ein Bild voller Würde gezeigt«, sagte er, »und die Leute richteten sich danach, so wie sie sich auch nach ihrer Mode oder nach ihrer Art, Parties zu halten, richteten. Geschadet hat das den Menschen insofern, als sie nie auf den Gedanken kamen, daß ihr Idol zu Hause wahrscheinlich genauso weinte und schluchzte wie wir alle.«

»Frau Onassis hat ein Beispiel gesetzt«, sagte der Beerdigungsunternehmer, »dem andere Leidtragende blindlings zu folgen begannen; ja auch Unbeteiligte erwarteten in zunehmendem Maße von den Betroffenen die gleiche Haltung, und allmählich setzte sich diese Vorstellung ganz allgemein in der Bevölkerung durch. Ich hatte zum Beispiel Klienten – Eltern, deren Kind gestorben war –, die sich tatsächlich schämten, weil sie, wie sie meinten, zu wenig Selbstbeherrschung zu zeigen vermochten. Ich wüßte nur zu gern, was für eine Art von Selbstbeherrschung man von den Eltern eines toten Kindes bei einer solchen Gelegenheit eigentlich verlangen soll.«

Das ist eine sehr wichtige Frage, denn ein Zuviel an Selbstbeherrschung kann ebenso gefährlich sein wie ein Zuwenig. Es gibt hier, wie überall, Grenzen. Ständig mit unbewegtem Gesicht herumzulaufen ist meiner Erfahrung nach ebenso unnatürlich, wie einen fortwährenden Mangel an Selbstzucht zu beweisen.

Mein Mann, den ich als das Opfer einer »Der-Mann-muß-stark-sein-Ethik« betrachte, ließ sich äußerlich fast nichts von dem Entsetzen anmerken, das ihn gepackt hatte. Statt dessen gab er sich auf der Beerdigung als Tröster. Als moralische Stütze. Einige Jahre nach Robbys Tod zeigte es sich, daß er mit seinem Schmerz immer noch nicht fertig geworden war. Er litt so sehr, daß er sich in nervenärztliche Behandlung begeben mußte. Im stillen Kämmerlein der ärztlichen Praxis konnte er sich endlich einmal ausweinen. Erst danach begann sich sein Zustand zu bessern.

Da ich eine Frau und zudem die unglückliche Mutter war, wurden Hilfe und Unterstützung ganz überwiegend *mir* zugewendet. Ich konnte mich bei anderen ausweinen und tat das lang und ausgiebig.

Manchmal ist es gut, wenn wir Undenkbares im voraus zu bedenken wagen. Dies war der Fall bei der Wahl der Grabstätte für unseren Sohn. Nicht alle Menschen haben das Glück, eine solche Stätte für sich erwerben zu können. Daß es sich für uns so fügte, hat uns in der Zeit unserer Trauer sehr geholfen.

Einige Monate vor Robbys Operation machten mein Mann und ich eines Sonntags eine Spazierfahrt und kamen zufällig an einem sehr schönen, parkähnlichen Friedhof vorbei. Die Gräber sahen gepflegt aus, und nirgends gab es aufrechtstehende Gedenksteine. Wir kamen überein, Robby – falls er die Operation nicht überleben sollte – hier zu begraben. Auf diesem Friedhof überkommen mich Stille und Frieden.

Wir entschieden uns für diese parkähnliche Anlage in erster Linie im Hinblick auf die anderen Kinder – nicht so sehr um Robbys willen. So wie die Beerdigung eine Veranstaltung für die Lebenden zum Gedenken an die Toten ist, so ist der Friedhof unserer Meinung nach ein Ort mit ähnlicher Funktion. Wir hatten den Wunsch, daß unsere Kinder zum Grab ihres Bruders gehen konnten, ohne daß ihnen dessen Umgebung Furcht einflößte. Daß wir richtig gewählt hatten, zeigte sich, als unsere Tochter zum ersten Mal verlangte, dorthin mitgenommen zu werden. Falls sie von irgendwelchen Fernsehsendungen her bestimmte gespenstische Vorstellungen von Grabanlagen gehabt hatte, so mußten diese in jenem freundlichen Garten schnell verfliegen.

Sicher würde dieser Friedhof vielen anderen Eltern nicht gefallen. Er ist verhältnismäßig neu, und es fehlen ihm daher die Schönheit und die Würde der Tradition. Auch gemahnt er den Besucher noch nicht – wie ältere Friedhöfe – daran, daß es auch im Tod – und nicht nur im Leben – Kontinuität gibt.

Zudem ist es vielen Eltern nicht vergönnt, überhaupt eine Wahl zu treffen; religiöse oder finanzielle Gründe mögen dem entgegenstehen. Viele Kinder werden auf alten Friedhöfen begraben, ebenso liebevoll, ebenso ehrfürchtig.

Es gibt hier nichts »Richtiges« und »Falsches«. Jeder Fall ist anders und muß individuell geregelt werden, je nach Geld und Neigung.

Es gibt ungewöhnliche Situationen, die ungewöhnliche Lösungen erfordern. Auch kann die Mobilität der amerikanischen Familie für die Wahl der Grabstätte von Bedeutung sein. So beschloß zum Beispiel ein Ehepaar, das aus beruflichen Gründen alle paar Jahre den Wohnsitz wechseln muß, die Tochter in New Jersey zu beerdigen. Das war für beide sozusagen immer noch die Heimat, obwohl sie inzwischen mehr als achthundert Kilometer entfernt davon wohnten.

»Sie liegt in unserer alten Heimatstadt neben ihren Großeltern begraben. Da wir doch nirgends recht zu Hause sind, ist das vielleicht die beste Lösung für uns und für sie«, sagte die Mutter des Mädchens.

Durch Robbys Tod war ich in meinem Denkvermögen zunächst wie gelähmt. Aber bis zu dem Zeitpunkt, zu dem wir unsere Tochter erstmals mit auf den Friedhof nehmen wollten, hatte sich das zum Glück einigermaßen gegeben. Manchmal dauert es Jahre, bis Eltern wieder fähig sind, schwierigen Situationen angemessen zu begegnen. Was in unserem Fall glückte, kann in einem anderen mißlingen.

Bevor wir zum Friedhof gingen, riefen wir bei der Friedhofsverwaltung an und sagten, wir wollten unsere kleine Tochter mitbringen und man möchte es doch bitte, solange wir da wären, unterlassen, den Rasen am Grab zu bewässern. Uns war klar, daß das Kind noch nicht verständig genug war, um zu begreifen, daß ihr Bruder unter der Erde durch das Wasser nicht gestört wurde.

Kurz bevor wir hingingen, wurde mir deutlich, daß die Kleine unbedingt eine Vorstellung davon bekommen mußte, was es heißt, nichts zu fühlen. Denn andernfalls mußte sie ja zutiefst erschreckt werden, wenn sie daran dachte, daß ihr Bruder da unten in der Erde unter Haufen von Dreck und Gras lag – ganz zu schweigen von irgendwelchen Berieselungsanlagen, die ihr Wasser dort versprühten.

Um ihr das »Nichts-Fühlen« zu erklären, fing ich ein paar Tage vor unserem ersten Gang zum Friedhof an, mit ihr über den Unterschied zwischen lebendig und tot zu sprechen. Ich forderte sie auf, eine Strähne ihres Haares in die Hand zu nehmen und daran zu ziehen. Sie gehorchte, und es tat ihr weh.

»Das kommt davon, weil dein Haar an der Wurzel lebendig ist«, sagte ich zu ihr. »Jetzt nimm dieselbe Haarsträhne, halt sie mit der einen Hand unten und mit der anderen in der Mitte fest. Du kannst jetzt von oben ziehen, so fest du willst, es tut nicht weh. Das kommt davon, daß dein Haar tot ist und nichts fühlen kann, nur an der Wurzel ist das anders, denn die ist lebendig.«

Dieser Anschauungsunterricht half ihr, etwas zu begreifen, was ihr Tausende von Worten nicht hätten erklären können.

Immer wieder redeten wir zu ihr von diesem »Nicht-fühlen-Können«, und allmählich erfaßte sie, daß Tot-Sein soviel bedeutet wie Nicht-Fühlen, was heiß und was kalt ist und was weh tut oder Angst macht. Nichts fühlen. Gar nichts.

Das Judentum kennt nach der Beerdigung die Shiwa, die Trauerwoche. In dieser Zeit werden bestimmte Gebete gehalten, und außerdem soll man die Leidtragenden besuchen und ihnen etwas zu essen bringen. Wir hatten fast immer ein volles Haus, und das war zweifellos für uns eine große Hilfe und tat uns wohl.

Uns blieb die plötzliche Stille und Leere erspart, die viele Leute nach der Beerdigung überfällt. Wenn wir das Bedürfnis hatten, von unserem Sohn zu sprechen, dann hatten wir genügend mitfühlende Zuhörer, und wir brauchten sie auch. So war die Zeit nach der Beerdigung für uns eine Zeit, in der wir mit anderen Menschen redeten und mit ihnen aßen und bei allem unseren Empfindungen freien Lauf gewähren konnten. Daß das Ganze auch seine Schattenseiten hatte, merkten wir erst einige Zeit später: Wir widmeten uns zu wenig unserem Sohn.

Meistens meinen Freunde und Bekannte der leidtragenden Angehörigen, man müsse die Familie jetzt eine Zeitlang in Ruhe ihren Gedanken und ihrem Schmerz überlassen. Eine gewisse Zurückgezogenheit ist nach der Beerdigung zwar vonnöten; aber allein mit meinem Schmerz zu sein, das war so ungefähr das letzte, was ich mir gewünscht hätte. Wir warteten auf andere Menschen – und sie kamen. Es gab Unterhaltung, es gab sogar Gelächter. Ja, auch ich lachte, denn Trauer – so tief und so weit sie auch reichen mag – ist nicht allumfassend. Sie hat ihre Dauer und ihre Zeit. Es machte mir auch nicht das geringste aus, in Gegenwart liebevoller Freunde und Angehöriger meinen Tränen freien Lauf zu lassen.

Wie anders sah dagegen die Zeit der Trauer für ein Ehepaar aus, dessen Sohn an einem Nierenleiden gestorben war. Zwar waren viele Menschen zur Beerdigung gekommen, aber danach gingen die beiden – jetzt kinderlos – heim in ein düsteres, leeres Haus. Die Mutter erzählte später, sie sei dauernd wie betäubt und verwirrt in der Küche auf und ab gegangen und habe nicht gewußt, wie sie eine Mahlzeit zusammenbringen sollte. Schließlich saßen beide am Tisch, allein mit ihrem Leid. Nicht daß sie keine Freunde gehabt hätten! Zu bestimmten Besuchszeiten waren Gäste im Trauerhaus. Aber fälschlicherweise glaubten die Freunde, man müsse den beiden Zeit lassen. Aber wenn man in Trauer ist, vor allem am Anfang, ist immer genug Zeit da. Was man braucht, ist gerade eine Unterbrechung der Zeit.

Viele wohlmeinende Freunde und Angehörige sind immer wieder ratlos, wenn sie nach der Beerdigung überlegen, wie sie die Leidtragenden trösten sollen. Was soll man sagen? Wie kann man am besten helfen?

Einfach da sein. Nicht nur am Anfang, auch später. Trauer hört nicht automatisch nach einer »angemessenen« Zeit auf. Sie kann qualvoll lange dauern.

Noch auf einen anderen Punkt muß ich zu sprechen kommen. Es mag sein, daß viele andere hinterbliebene Eltern nicht mit mir übereinstimmen, aber da ich einige kennengelernt habe, die genauso reagiert haben wie ich, will ich doch davon sprechen.

Es gab in unserem Fall eine Reihe von Leuten, die aus tiefem Mitgefühl und in dem ehrlichen Willen, uns eine Freundlichkeit zu erweisen, zum Gedenken an unseren Sohn einem Herzforschungszentrum eine Spende zukommen ließen. Ich weiß, daß diese Menschen damit zum Ausdruck bringen wollten, daß unser Sohn nicht »umsonst« gestorben war. Aber in jenen Tagen des Schmerzes, der Bitterkeit und der Verzweiflung war mein Interesse für andere Menschen, denen durch eine derartige Spende vielleicht geholfen werden konnte, gleich Null. Anderen Eltern, die ähnliche Zeichen guten Willens erfuhren, ging es ähnlich wie mir. Vielleicht sollte man solche Spenden nur tätigen, wenn die Leidtragenden durch Hinweise auf den Todesanzeigen oder in anderer Form zu erkennen geben, daß sie in ihrem Sinne sind.

Trauer ist eine Haltung der Selbstbezogenheit. Sie hat wenig Altruistisches an sich. Ich habe mich immer wieder meiner Reaktion auf die gutgemeinten Spenden geschämt. Ich kam mir so undankbar vor. Aber viele andere Eltern haben mir bestätigt, daß es ihnen genauso ergangen ist. Erst später kam ich dahin, daß ich auch diese Art des Gedenkens zu würdigen vermochte.

Aber anfangs konnte ich das nicht. Wenn ich morgens die Post öffnete und immer wieder neue Schenkungsurkunden aus den Briefumschlägen nahm, dann dachte ich bloß: »Was soll's? Robby ist tot. Es ist mir wirklich egal, ob jetzt noch irgendwelche Forschungen betrieben werden. Es ist zu spät. Es kommt doch nichts mehr dabei heraus.«

Es dauerte lange, bis ich diese Spenden als das ansehen und annehmen konnte, was sie im Grunde waren: Zeichen der Freundlichkeit und der Aufmerksamkeit von Menschen, die in irgendeiner Weise helfen wollten.

Diejenigen unter meinen Lesern, die dieses Gefühl des Unwillens auch gekannt und sich seiner geschämt haben, mögen sich also trösten. Sie sind keine undankbaren Geschöpfe, die keiner Freundlichkeit wert sind. Sie sind nicht die einzigen. Sie sind auch nur Menschen, und andere haben ähnliche Erfahrungen gemacht.

Natürlich gibt es auch viele hinterbliebene Eltern, die derartige Geldspenden anders betrachten. Sie reagieren nicht so bitter. Nicht so verletzt. Nicht so unwillig. Sie denken nicht so sehr daran, was mit dem Geld gemacht wird, als vielmehr daran, warum es gegeben wurde: als Zeichen des Mitgefühls, als Zeichen der Liebe. Sicher geben diese Eltern ein besseres Beispiel.

Seitdem sind einige Jahre vergangen, und ich habe mein inneres Gleichgewicht wiedergefunden. Heute tut es mir wohl, zu wissen, daß so viele Menschen nach Robbys Tod in so großzügiger Weise Geld gespendet haben. Denn vielleicht wird dadurch irgendwo ein Elternpaar davor bewahrt, das zu erleben, was ich durchmachen mußte.

In jenen ersten Tagen nach dem Tod eines Kindes leben die meisten Eltern in einem Zustand, in dem sich bitterer Schmerz und dumpfe Betäubung in eigenartiger Weise mischen. Alles ist durcheinander und verworren. Aber das Leben geht weiter, und man kann sich nicht für immer davor drücken, bestimmte Schritte zu tun.

Es gibt viele Eltern, die darauf stolz sind, daß für ihr Kind eine prächtige Trauerfeier veranstaltet worden ist. Der würde-

volle Rahmen und das ganze Zeremoniell haben ihnen wohl-
getan. Andere Eltern wieder haben das Gefühl, daß nichts
ihnen wirklich geholfen hat. Vielleicht hat sie irgendein Wort
berührt oder ein Satz oder eine Geschichte. Aber meistens
lassen sie alles nur über sich ergehen, weil es sein muß und
weil es durchgestanden werden muß.

Wenn die Beerdigung schließlich vorbei ist und hinter dir
liegt, dann kommt alles darauf an, daß du dich den Problemen
des jetzt neu beginnenden Lebens zuwendest, ohne dich voll
Bedauern bei Dingen aufzuhalten, die du vielleicht gern anders gehabt hättest.

> Wenn dein Vater stirbt, so hast du deine Vergangenheit verloren. Wenn dein Kind stirbt, so hast du deine Zukunft verloren.
>
> Dr. Elliot Luby

Wer sein eigenes Kind zu Grabe trägt, muß zuschauen, wie ein Stück seiner selbst – die Farbe der Augen, die Grübchen, der Sinn für Humor – in die Erde gelegt wird. Es ist wohl die bitterste Erfahrung, die ein Mensch im Leben machen kann, und deswegen läßt sich auch so schwer über sie reden. Wenn Kinder sterben, sind es im Grunde nicht nur *sie*, die wir betrauern; wir weinen auch um jenes Stückchen unserer eigenen Unsterblichkeit, dessen Träger sie waren.

Dieser »Verlust an Zukunft«, den die Eltern erleiden, wird höchst anschaulich in einem Gedicht von Herbert Parker ausgedrückt:

> Sein Arm um mich –
> dann hörte ich
> vier Worte, die er sprach,
> vier Worte, die ich nicht vergaß
> bis auf den heut'gen Tag.
> Geheimnis unerkannt
> im Spiegel ich da fand;
> es nahm dem Sinn die Ruh' –
> er sprach: »Ich werd' wie du.«

Der Prozeß des Trauerns ist zwar noch keineswegs umfassend erforscht, aber die Psychologen stimmen im großen und ganzen darin überein, daß es bestimmte normale Reaktionen gibt.

Das erste Gefühl, das die Eltern bei der Nachricht vom Tod ihres Kindes befällt, ist das Gefühl einer Art von Betäubung. Es verbindet sich mit dem allgemeinen Eindruck, daß man in Wirklichkeit nicht selbst betroffen ist. Ich erinnere mich noch gut daran, daß ich damals in jener schrecklichen Zeit in Alabama immer ganz stark das Gefühl hatte, es sei alles gar nicht wahr. Was geschehen war, hatte mit der Wirklichkeit überhaupt nichts zu tun – und schon gar nicht mit *meiner* Wirklichkeit. Es war etwa so ähnlich, wie wenn man Novocain ins Zahnfleisch gespritzt bekommt. Man hört, wie der Zahnarzt bohrt, und fühlt doch überhaupt nichts. Es kommt einem so vor, als vollziehe sich die zahnärztliche Behandlung an einem anderen Patienten.

Nie werde ich den Namen des Arztes vergessen, der uns sagte, daß unser Sohn tot war. Nie sein Gesicht. Ebenso unvergeßlich bleibt der Ausdruck auf dem Gesicht der jungen Schwester, die dabeistand. Wo wir auch hinblickten – wir sahen nur mitleidvolle Gesichter und einige Gesichter, die sich abwendeten.

Das Gefühl der Erstarrung hielt tagelang an und kam in verschiedenen Wellen wieder. Auch Schmerz und Tränen kamen wie Gezeiten. Dafür kann man als Leidtragender nur dankbar sein. Wenn wir uns in jeder wachen Minute der Größe unseres Verlustes bewußt wären, dann würden wir davon gänzlich vereinnahmt und aufgefressen und könnten nie mehr heil werden.

Ich erinnere mich daran, daß ich in der Woche nach Robbys Tod von einem – mir sonst gänzlich fremden – Gefühl der Ergebung beherrscht war. Wenn jemand zu mir sagte, ich sollte mich setzen, dann setzte ich mich. Wenn jemand zu mir sagte, ich sollte etwas essen, dann aß ich. Normalerweise habe ich einen recht ausgeprägten eigenen Willen. Ich benahm mich also ausgesprochen atypisch. Ja, ich war im Grunde unendlich dankbar dafür, wenn man mir sagte, was ich zu tun hatte. Ich war zu stumpf, um für mich selbst denken zu wollen. Im Gegenteil – ich hatte Angst davor, daß das Gefühl der Betäubung schwinden und dem Schmerz Platz machen könnte.

Schon seit Jahren hatte ich unter Schlaflosigkeit gelitten. Nach Robbys Tod wurde das Problem noch größer. Bis dahin hatte ich gern im Bett Kriminalromane gelesen. Aber jetzt las ich keine mehr. In mir steckte eine eisige Angst davor, irgend etwas über den Tod zu lesen. Dies war das letzte Thema, mit dem ich mich beschäftigen wollte. Also lag ich wach. Schließlich ging ich zu Schlaftabletten über. Sie halfen mir beträchtlich, denn ich war körperlich völlig erschöpft und daher auch psychisch am Ende. Das einzige Problem bei den Schlaftabletten war, daß es mich später so viel Entschlußkraft kostete, sie wieder abzusetzen.

Am schlimmsten – viel schlimmer als die durchwachte Nacht – war immer der Morgen. Nachdem ich aufgewacht war, gab es immer eine ganz kurze Zeit, während der ich offenbar völlig vergessen hatte, daß Robby tot war. Dann kam – wie eine Flutwelle, die mich fortriß und in der ich zu ertrinken drohte – die Erinnerung. Jeden Tag mußte ich von neuem darum kämpfen, mich zum Aufstehen zu zwingen, wirklich jeden Tag. Das ging so einige Monate, und es war mein schwerster Kampf. Ich glaube, nichts im Leben kann so zermürbend sein wie dieses tägliche Ringen um die Kraft zum Aufstehen. Wenn das schon so viel kostet – wieviel Energie bleibt einem dann noch für den Rest des Tages?

Eine andere Reaktion, an die ich mich noch sehr deutlich erinnere, war meine Unfähigkeit, mich für eine längere Zeit auf eine bestimmte Sache zu konzentrieren. Alles, was mir bisher zur Entspannung gedient hatte, war mir plötzlich genommen. Kein Buch konnte mich mehr fesseln – dabei war ich seit meiner Kindheit eine ausgesprochene Leseratte. Das Fernsehen schien abgeschmackter denn je. Gute Filme waren dünn gesät. Unterhaltungen mit Freunden interessierten mich nur für kurze Zeit.

Ich glaube, damals war das alles beherrschende Gefühl für mich die Gleichgültigkeit. Nichts Lebendiges, das zu dieser Welt gehörte, war real. Die einzige Realität, deren ich mir bewußt war, hieß: Robby ist tot. Das war die Wirklichkeit. Alles andere existierte nicht.

Allmählich aber schwand die Gleichgültigkeit. Und dann kam der Schmerz. Ein tiefer, bitterer, schneidender Schmerz, der mich wie mit Messern durchfuhr. Selten nur ließ er für eine Weile nach. So eigenartig es klingen mag – aber ich glaube, daß dieser Schmerz der Anfang des Gesundungsprozesses war. In dieser Zeit hörte ich auf, mich von den Ratschlägen anderer Menschen leiten zu lassen, und beschloß, wieder selbst für mich zu denken. Was die Betäubung nicht vermocht hatte, brachte der Schmerz zuwege. Er versetzte mich rein physisch wieder in diese Welt, die Welt der Lebenden. Fortan war für mich nicht mehr nur der Tod real. Ich fing an zu erkennen, daß ich lebendig war – und das war etwas höchst Reales.

Zwar war das Aufstehen am Morgen immer noch ein Riesenproblem. War ich aber einmal aus dem Bett, dann hatte der Schmerz auf mich etwa dieselbe Wirkung wie ein Glas Wasser auf einen Ohnmächtigen. Er machte mich wach, und ich wußte, daß der Tag mich fordern würde, daß ich mich um meine beiden anderen Kinder – den zwölfjährigen Dale und die vierjährige Stacie – zu kümmern hatte und daß ich mit dem Leben fertig werden mußte.

Der Versuch, mit dem Leben fertig zu werden, sah für mich ganz anders aus als für meinen Mann. Das Schicksal, das ein leidtragender Vater zu erdulden hat, ist von schreiender Ungerechtigkeit und hat wohl in der gesamten Geschichte geschlechtsspezifischer Diskriminierung keine Parallele.

Mein Mann war das Opfer. Hier war ein Mann, ein Vater, der zusehen mußte, wie sein Kind zu Grabe getragen wurde, und von dem aufgrund gesellschaftlicher Konvention erwartet wurde, daß er »Haltung bewahrte«. Das fing damit an, daß der Arzt im Krankenhaus gleich nach Robbys Tod ursprünglich meinen Mann allein aufforderte, mit ihm ins Sprechzimmer zu gehen. Der Arzt, der sicher in dieser schrecklichen Situation nur das Beste im Sinn hatte, fühlte wohl instinktiv, daß man der Mutter die Nachricht schonender beibringen müsse als dem Vater.

In den darauffolgenden Monaten erlebte mein Mann, wie sich von allen Seiten ähnliche – höchst unfaire – Erwartungen auf ihn richteten. Er ging zum Bestattungsinstitut, um die Beerdigung zu bestellen. Er entschied, welche Kleider Robby tragen sollte. Zu keiner Zeit wurde ich aufgefordert, mich an den traurigen Überlegungen zu beteiligen, die die Lebenden für die Toten anstellen müssen. Mich umgaben Schonung und Trost. Für meinen Mann dagegen hieß es: Es gibt halt Dinge, die man aushalten muß.

Neben der Erledigung aller Beerdigungsangelegenheiten mußte er nach einer Weile auch wieder ans Geldverdienen denken. Er ist kaufmännisch tätig. Voraussetzung für seine

Arbeit ist die persönliche Motivation. Wahrscheinlich läßt sich gar nicht abschätzen, was ihn die Erwartungen von seiten der Gesellschaft wirklich gekostet haben. Aber eins ist sicher: Er mußte für sein »Haltung-Bewahren« teuer zahlen.

Die Zeit verging, und er kam nicht etwa langsam aus der Trauer heraus, sondern versank immer tiefer darin.

»Ich komme mir vor, als ob ich über arktische Schneefelder gehe«, sagte er zu mir. »Ich bin sehr müde. Ich weiß, wenn ich mich hinlege, schlafe ich ein. Ich weiß, wenn ich einschlafe, erfriere ich. Es ist mir egal. Ich kann nicht mehr.«

So sah es in ihm aus, und dabei »bewahrte« er jeden Tag in seiner Welt »Haltung«, schüttelte seinen Kunden die Hand und knüpfte neue Geschäftskontakte. Er ging durchs Leben und fragte sich dabei, wann er denn endlich einmal trauern dürfte.

Sein Zustand wurde immer beunruhigender, und wir sahen ein, daß er psychiatrische Hilfe brauchte. Er kann sich heute nicht daran erinnern, daß er von dem Arzt viel Beratung und Unterstützung bekommen hat. Aber – und das war vielleicht das Entscheidende – er verbrachte eine ganze Reihe von Sitzungen damit, daß er weinte. Nur weinte.

Erst nach vielen Besuchen beim Psychiater hatte er das Gefühl, daß die schneebedeckte Arktis jetzt hinter ihm lag. Aber noch heute kann er sich daran erinnern, wie er damals gestimmt war, und es packt ihn immer noch das Grauen vor der trostlosen Leere, der er in seinem Innern begegnet ist.

Nicht alle Menschen gelangen unversehrt durch diese Phase. So gibt es zahllose Beispiele dafür, daß ein Elternteil plötzlich sein Verhalten radikal ändert und sich für verrückte Dinge interessiert, die normalerweise nur Teenager beschäftigen. Zwar bin ich dafür, daß man glücklich ist, aber ich bin nicht für Hedonismus. Wie überall, so bringen auch auf diesem Gebiet extreme Reaktionen ihre besonderen Probleme mit sich.

Der Mann, der nach dem tödlichen Autounfall seines Sohnes selbst ein besessener Motorradfahrer wurde, oder die Frau, die sich nach dem Tod ihres einzigen Kindes von ihrem Ehegatten trennte und als exotische Tänzerin ihr Geld verdiente, hinterließen verletzte Ehepartner und zerstörte Familien.

Es gibt andere Eltern, die nicht nach solcher Art Ablenkung suchen und statt dessen entgegengesetzt reagieren. Sie werden ängstlich und haben das Bedürfnis, die Menschen, die sie lieben, so nah wie möglich unter ihre beschützende Obhut zu nehmen.

So litt eine Mutter, deren eines Kind gestorben war – wenn auch an einer Krankheit und nicht bei einem Unfall –, entsetzliche Qualen, wenn ihr anderes Kind zum Spielen ins Freie ging.

Eine andere Mutter, der ein Sohn ertrunken ist, will bis heute weder ihren Kindern noch ihrem Mann erlauben, sich einem See oder Schwimmbad auch nur zu nähern. »Ich kann meine Angst nicht unterdrücken. Die paar Stunden Spaß, die sie haben, sind die Qualen nicht wert, die ich auszustehen habe. Sie widersprechen mir auch gar nicht. Sicher vestehen sie mich«, sagt die Frau.

Nur zu oft allerdings kommt es vor, daß Kinder derartige Verbote nicht verstehen. Und dann versuchen sie, sich der ungeliebten Fesseln zu entledigen.

Ein zwölfjähriges Mädchen zum Beispiel gibt ganz offen zu, daß es seine Mutter von Juni bis September haßt, weil es im Sommer immer nur heißt: »Du darfst dies nicht, du darfst jenes nicht!«

»Es ist mir doch egal, daß mein Bruder gestorben ist, weil sein Ruderboot umkippte. Deswegen habe ich trotzdem das Recht, schwimmen zu gehen oder am Strand zu sein. Er ist jetzt schon zwei Jahre tot, und ich stehe da und habe keinen, der in den Ferien mit mir spielt. Noch nicht mal ins Ferienlager läßt sie mich!«

Was für alle möglichen anderen Probleme während des Trauerprozesses zutrifft, gilt auch in diesem Fall: Wer nicht zulassen kann, daß sich das Leben in seiner Umgebung und in seiner Gesellschaft nach einer gewissen Zeit wieder normal abspielt, der sollte vielleicht eine professionelle Beratung in Anspruch nehmen. Natürlich kann das »Normale« je nach Situation sehr verschieden sein. Aber manche Menschen befassen sich mit dem Tod in einer Weise, die es garantiert keinem anderen in ihrer Umgebung mehr erlaubt, jemals aus dem Dunstkreis der Trauer herauszukommen.

Eine Mutter, die in einem kleinen Vorstadtbungalow wohnt, hat das Schlafzimmer ihres Sohnes in ein Heiligtum verwandelt. Es ist schon über ein Jahr her, daß er bei einem Autounfall ums Leben gekommen ist; aber seine Schulbücher liegen noch auf seinem Schreibtisch, als könne er jederzeit zurückkommen und weiterlernen. Sein Bett bleibt ungemacht, so wie er es verlassen hat. Eine halbleere Limonadenflasche steht auf der Kommode.

»Solange ich lebe, bleibt dies Zimmer unberührt«, sagt die Mutter. »Ich glaube, daß diese Weise des Gedenkens – *meine* Weise – richtig ist. So bleibt mein Sohn unvergessen.«

Unfair ist diese Einrichtung eines Heiligtums allerdings den anderen Kindern gegenüber, die am Leben geblieben sind. Sie haben das Gefühl, daß man sich zu Hause nur ehrfürchtig und auf Zehenspitzen bewegen darf. Sie beklagen sich über die Atmosphäre, die bei ihnen herrscht, eine düstere Atmosphäre voller Schwermut, die sie beinahe körperlich empfinden und die allgegenwärtig ist.

Wir alle haben unser totes Kind geliebt, und es behält einen besonderen Platz in unserem Herzen. Natürlich sollen wir auch ein Erinnerungsfoto aufstellen, eine besondere Zeit des Gedenkens beachten – vielleicht am Geburtstag – und gelegentlich zum Friedhof gehen. Aber wenn man sein Zuhause in eine Art Grabeshöhle verwandelt, dann ist das unfair denen gegenüber, die am Leben geblieben sind und versuchen, mit der Situation fertig zu werden.

Es gibt viele hinterbliebene Eltern, die, zu Recht oder zu Unrecht, glauben, der Arzt habe ihr Kind falsch oder nachlässig behandelt. In diesen Eltern schwärt der Haß. Sehr oft geben sie ihre Abneigung gegen den Arzt an ihre überlebenden Kinder weiter.

Ein Beispiel hierfür ist der Bruder eines Kindes, das an einer schweren Krankheit gestorben ist. Die Ärzte waren ihr erst auf die Spur gekommen, als es zur Rettung zu spät war. Heute sind nicht nur die Eltern voller Erbitterung; auch der Bruder spuckt immer nur Gift und Galle, wenn die Rede auf den betreffenden Arzt kommt. Dabei ist das Ganze schon fünfzehn Jahre her.

Eine Reaktion, die aus dem normalen Rahmen fällt und doch bei leidtragenden Eltern verhältnismäßig häufig vorkommt, ist das Auftreten von körperlichen Beschwerden. Sie können echt oder aber auch eingebildet sein. Manchmal ähneln diese Krankheiten derjenigen, die zum Tode des Kindes geführt hat. Ärzte und auch Familienangehörige sollten derartige Beschwerden ernst nehmen und dem Patienten eine psychiatrische Behandlung empfehlen.

Schließlich gibt es natürlich noch diejenigen Eltern, die sich ganz vom gesellschaftlichen Leben zurückziehen. Obwohl jede der bisher beschriebenen Überreaktionen auf ihre Weise tragisch ist, so ist die zuletzt genannte doch wohl die hoffnungsloseste. Denn diese Eltern haben freiwillig auf die wichtigste Quelle des Trostes verzichtet: auf die Gesellschaft ihrer Mitmenschen.

Unglücklicherweise bilden sich die Grundmuster für solche negativen Einstellungen gleich in der allerersten Zeit der Trauer heraus, also in der Phase, in der die Eltern am haltlosesten und am verletzlichsten sind.

Natürlich hängt die Art und Weise, in der man seinen Schmerz bewältigt, von der Individualität jeder einzelnen Person ab. Nicht jede Methode eignet sich für jeden. Und doch gibt es bestimmte Dinge, die für fast alle Menschen Gültigkeit haben.

Die einfachste und für die Anfangszeit wohl wichtigste Regel ist, nachgeben zu lernen. Eltern, die einen solch schrecklichen Schlag erlitten haben, sollen sich ruhig dem Schmerz überlassen, ohne sich gegen ihn zu wehren. Sie sollen es aber auch geschehen lassen, daß sie hin und wieder für einige kostbare Augenblicke von einer Woge des Vergessens mitgenommen und sanft weitergetragen werden.

Für einen leidtragenden Vater ist es ungeheuer wichtig, daß er alle konventionelle männliche Ethik beiseite schiebt und weint. Laß die Tränen kommen. Laß ihnen freien Lauf. Sie waschen den Kummer mit ab.

Gerade in dieser Anfangszeit – auch wenn unser Schmerz noch so frisch und noch so groß ist – müssen wir schon ein paar Schritte aus unserem Trauerkokon heraus und zurück in das Land der Lebendigen tun. Wir sollen unsere Trauer nicht begraben, aber wir müssen solche positiven Schritte tun. Geh langsam. Sei behutsam.

Für eine Mutter kann das zum Beispiel so aussehen, daß sie ein wenig Lippenstift aufträgt oder sich eine andere Frisur zulegt. Eine meiner ersten Taten in dieser Richtung war, daß ich – drei Monate nach Robbys Tod – eines Tages plötzlich beschloß, für den Nachmittag einen Kuchen zu backen und auf die üblichen gekauften Backwaren zu verzichten. Dieses erste Backen fiel mir ausgesprochen schwer, und eine ganze Woche lang unternahm ich keinen weiteren Versuch, mich aktiv zu betätigen. Aber dann legte ich plötzlich eines Abends eine Tischdecke auf, bevor ich die Teller hinstellte. Anstatt tiefgekühlte Pommes frites in den Topf zu werfen, machte ich einen Kartoffelbrei. Anstatt Würstchen aus der Dose dazu zu reichen, bereitete ich einen Braten. Das war mein zweiter Versuch, und er hatte den Erfolg, daß ich es auch am nächsten Abend wieder fertigbrachte, ein vernünftiges Abendessen zu kochen.

Auch viele Männer haben mir bestätigt, daß dieser erste bewußte Schritt für sie ungeheuer wichtig gewesen ist. Im Falle eines Lehrers, dessen verheirateter Sohn in Vietnam gefallen war, sah dieser erste Schritt so aus, daß er mit seiner Klasse auf einen vorher nicht geplanten Ausflug ging. Ein Feuerwehrmann, dessen neunjähriger Sohn an Grippe gestorben war, wendete sich nicht ab, als eine Gruppe von Kindern zur Besichtigung des Spritzenhauses kam, sondern er brachte es fertig, mit ihnen zu reden. Ein Geschäftsmann traf sich mit Freunden zum Lunch in einem Restaurant, anstatt sein Essen trübsinnig allein in seinem Büro herunterzumampfen.

Interessanterweise können sich alle diese Leute noch genau an ihren ersten Schritt erinnern. Viele fühlten sich dabei unsicher oder versagten überhaupt. Die meisten von ihnen mußten wieder weinen oder in dumpfes Grübeln versinken, nachdem sie nach Hause zurückgekehrt waren. Oft unterließen sie dann eine Zeitlang jeden weiteren Versuch. Aber das Gefühl, daß es vielleicht doch noch etwas zum Freuen gäbe, drang allmählich durch die Trauer hindurch in ihr Bewußtsein.

Es ist sehr wichtig, daß niemand diesen ersten Schritt versäumt. Er sollte nur klein sein. Wenn du fällst, fällst du dann nicht tief. Es wird dir nicht unmöglich sein, wieder aufzustehen und nach oben zu klettern. Du kannst es schaffen.

Schuldgefühle

> Oft stellt nicht das Sterben unseren Mut auf
> die Probe, sondern das Leben.
>
> Alfieri

Vor nicht allzu langer Zeit erschien eine junge Frau, die wir Laura nennen wollen, in einer großen Stadt auf einer Polizeiwache und erklärte, sie habe ihr Baby umgebracht. Die große, schlanke, blasse Frau wurde verhaftet. Nach einiger Zeit wurde sie zur Vorverhandlung geladen und mußte sich zur Anklage des Mordes äußern.

In ihrem Geständnis gab Laura zu Protokoll, sie habe vor sechs Jahren ihre kleine Tochter erstickt. Das Verbrechen sei aber niemals entdeckt worden. Jetzt sei sie bereit, für ihre Schuld zu zahlen.

Die Mühlen der Justiz mahlen langsam. Laura blieb bis zur Hauptverhandlung in Haft und beklagte sich nicht darüber. Aber während des Verfahrens geschah etwas Eigenartiges. Keiner, der Laura kannte – einschließlich ihres früheren Ehegatten –, glaubte ein einziges Wort ihres Geständnisses.

Zufällig hatte ich – in meiner Eigenschaft als Reporterin – über Lauras Geschichte und über den Gang der Verhandlung Bericht zu erstatten. Nachdem ich die polizeilichen Ermittlungen über die Todesumstände zur Kenntnis genommen und mit Lauras Familienangehörigen gesprochen hatte, war ich absolut davon überzeugt, daß das Kind nicht als Opfer einer bösen Tat, sondern infolge einer tückischen Kinderkrankheit gestorben war. An dieser Krankheit sterben jährlich etwa zehntausend amerikanische Säuglinge im Alter zwischen drei Wochen und fünf Monaten. In den meisten Fällen wird das Kind scheinbar völlig gesund ins Bett gelegt und wenige Stunden später tot aufgefunden, ohne daß sich die Todesursache klären läßt. Die Ärzte vertreten im allgemeinen die Auffassung, daß der Tod durch ein unbekanntes Virus herbeigeführt wird.

Laura hatte das Glück, daß das Gericht ihr einen verantwortungsbewußten Anwalt beigab. Auch er begann – wie zuvor schon ich – daran zu zweifeln, daß seine Mandantin ihr Kind tatsächlich getötet hatte. Er befragte verschiedene Ärzte und setzte für seine Mandantin eine psychiatrische Behandlung durch.

Noch heute, etliche Jahre nach dem Verfahren, kann sich der Anwalt, der seit fünfundzwanzig Jahren Spezialist auf dem Gebiet des Strafrechts ist, genau an Laura erinnern, und zwar vor allem deswegen, weil sie in ihrem Verhalten so widersprüchlich auf ihn wirkte.

»Sie war die passivste Mandantin, die ich je verteidigt habe«, sagt er. »Es schien fast, als sei sie an dem Verlauf des Verfahrens überhaupt nicht interessiert. Sie stellte mir keinerlei Forderungen. Niemals bestand sie auf ihrem ›Recht‹, wie das die meisten Mandanten tun. Sie saß nur da und war mit allem, was ich tat, zufrieden.«

Das Verfahren nahm seinen Fortgang. Laura machte ihre Aussagen als Angeklagte – schmal und verbraucht stand sie da, in Blue jeans und weißer Bluse. Ihr Gesicht war ganz blaß, und ihre Augen blickten so leer vor sich hin, daß es mir ins Herz schnitt. Ihre Angehörigen waren gekommen und sagten aus, daß sie eine zärtliche, liebevolle Mutter gewesen war. Auch ihr früherer Ehemann, von dem sie sich in Bitterkeit getrennt hatte, bezeugte, daß sie eine gute Mutter gewesen war, seiner Meinung nach unfähig dazu, die von ihr über alles geliebte Tochter umzubringen.

Aber Laura sagte aus, sie habe ein Kissen genommen und das Kind damit erstickt. Die Anklage gegen sie wurde in dem Augenblick fallengelassen, als der Autopsiebericht als Beweismittel zugelassen wurde. Er ergab zweifelsfrei, daß das Kind nicht erstickt worden war.

Beinahe ebenso tragisch wie die falsche Selbstbezichtigung war Lauras Reaktion auf die Niederschlagung des Falls. Zwar liefen ihr die Tränen über die Wangen, aber ihre Augen blieben leer und ausdruckslos. Ihr Anwalt meint, daß der Freispruch von seiten des Gerichts sie nicht wirklich entlastet hat. Sie wird sich weiterhin als schuldig am Tod ihres Kindes betrachten, bis es ihr gelingt, von ihren selbstanklägerischen Gefühlen frei zu werden.

Der Anwalt hat auch berichtet, daß ihm im Laufe der Beschäftigung mit Lauras Schicksal einige ähnliche Fälle begegnet sind, in denen Eltern überzeugt waren, ihr Kind getötet zu haben, obwohl das nicht zutraf. Ja es gibt sogar eine wissenschaftliche Untersuchung über diese bösartig verlaufende Kinderkrankheit und ihre Auswirkungen auf die betroffenen Eltern, die ein ähnliches Bild ergibt. In dieser Studie sind verschiedene Briefe der leidtragenden Eltern abgedruckt, und in einem dieser Briefe gesteht eine Mutter öffentlich, sie habe ihr Kind erstickt, obwohl der Bericht des Leichenbeschauers das Gegenteil aussagt.

Die Psychiater meinen, daß solche Wahnvorstellungen so lange nicht ausgeräumt werden können, bis die betreffende Person willens ist, zu ergründen, warum sie sich an dem Tode des Kindes schuldig fühlt.

Da bei dieser Todesart keine äußere Todesursache festzustellen ist, gibt es fast immer eine polizeiliche Untersuchung. Ganz gleich, wie diese Untersuchung vor sich geht – ob sie behutsam von einem verständnisvollen Polizisten oder aber etwas rücksichtslos vorgenommen wird –, das Ergebnis dieses Kontaktes mit der Polizei ist fast immer, daß die Schuldgefühle der Eltern noch wachsen.

Aus der oben schon erwähnten Studie über die betreffende Kinderkrankheit geht hervor, daß für Eltern, die den plötzlichen Tod ihres scheinbar so gesunden Kindes zu verkraften haben, eine Autopsie im allgemeinen eine konkrete Hilfe ist. Denn ein Autopsiebericht kann ihre Angst, daß sie vielleicht nachlässig gewesen sind, ausräumen. Er kann ihnen die Furcht nehmen, das Kind sei erstickt, weil sie nicht genug auf es aufgepaßt hätten. Zuweilen meinen Eltern sogar, ihr Kind habe sich zu Tode geschrien, und sie seien schuld, weil sie nicht nach ihm geschaut hätten. Gewöhnlich sind derartige Ängste völlig unbegründet, aber deswegen sind sie nicht weniger real und quälend für die Betroffenen, die ihrer Schuldgefühle nicht Herr werden.

Eltern, denen ein Baby gestorben ist, stehen unaussprechliche Ängste aus, wenn sie noch ein weiteres Kind bekommen. So erzählt eine Mutter, daß sie eifersüchtig über jede Regung ihres zweiten Kindes gewacht habe, bis es zwei Jahre alt war –

und damit, wie sie sehr wohl weiß, die gefährliche Periode, in der diese unheimlichen Todesfälle eintreten können, längst hinter sich gebracht hat. Solange diese Phase währte, lebte sie in ängstlicher Anspannung. Nachts schlief sie entweder kaum oder höchst unruhig, tagsüber war sie nervös und erschöpft. Erst jetzt setzt sich bei ihr allmählich die Überzeugung durch, daß ihr Kind am Leben bleiben wird.

Derartige unbegründete Anklagen, die Eltern nach dem Tod ihres Kleinkindes gegen sich selbst richten, lassen sich zumindest teilweise aus unserem allgemeinen kulturellen Milieu herleiten. Von klein auf haben wir gelernt, daß Eltern ihre Kinder lieben. Schon als Kinder werden wir mit dieser idealisierten Beziehung vertraut gemacht. Nie aber wird uns gesagt, daß Mütter und Väter ihre Sprößlinge liebhaben und dennoch zugleich manchmal ärgerlich oder unwillig über sie sein können. Und doch gibt es das in fast allen Familien.

Ein Wissenschaftler, der sich mit Fragen des Todes und des Sterbens beschäftigt hat, weist darauf hin, daß in allen Liebesbeziehungen auch ein bestimmtes Maß an Abwehrhaltung zu finden ist. Wer einen Säugling hat, ärgert sich vielleicht darüber, daß er in seiner Freiheit eingeschränkt wird oder daß er nachts aus einem gesunden Schlaf aufstehen muß, um das Baby zu füttern. Ganz gewiß ist das eine normale Reaktion. Wenn aber das Kind stirbt, dann verwandelt sich das ursprünglich durchaus nicht unbegründete und zu einer normalen Eltern-Kind-Beziehung gehörige Gefühl zu einer Selbstanklage.

Hieraus folgt dann für manche Eltern die Überzeugung, daß ihr Kind gestorben ist, weil es bei seinen Eltern so negative Gefühle wie Unwillen oder Ärger spürte.

»Wenn das Kind mich auch geweckt hat, nachdem ich endlich einmal eingeschlafen war, so war es doch unrecht von mir, daß ich böse oder ärgerlich reagiert habe«, mögen dann Vater oder Mutter denken. »Wahrscheinlich habe ich mein Kind nicht genug oder jedenfalls nicht in der rechten Weise geliebt.«

Die Psychiater behaupten, daß solche selbstquälerischen Gedanken bei vielen hinterbliebenen Eltern vorkommen.

Das Lexikon definiert Schuld als das »Verüben oder Verübthaben einer bösen Tat«. Da alle Menschen gelegentlich sündigen, irren, Böses denken, lügen und andere große und kleine Übeltaten vollbringen, können wir uns wohl alle zu Recht manchmal schuldig fühlen. Wenn aber ein Kind stirbt, dann können derartige Unrechtshandlungen der Ausgangspunkt dafür werden, daß wir uns an diesem Tod schuldig fühlen. Das ist vor allem dann der Fall, wenn wir nicht mehr logisch zu denken vermögen.

Ein Mann, der nach dem Tod seines Sohnes eine Hölle – seine persönliche Hölle – durchlitt, ist heute der Meinung, daß die Erfahrungen, die er mit seinen Schuldgefühlen machte, auch für andere Menschen äußerst wichtig sind. Er hat mir deswegen seine Geschichte erzählt – unter dem Vorbehalt, daß sie anonym bleibt.

»Wissen Sie, wahrscheinlich fing alles schon bei den zehn Geboten an«, sagte er, »und zwar bei demjenigen, in dem es heißt: ›Du sollst nicht ehebrechen.‹ Ich nehme an, daß dieser Satz in jeder Religion gilt. Man lernt das schon als Kind. Es wird von einem erwartet, daß man die Gebote hält. Und wenn man dann heiratet, verspricht man, dem Partner treu zu sein und ihn nicht zu verlassen. Aber bei meiner Frau und mir klappte das nicht ganz so, wie wir gehofft hatten, und ich fing an, mit anderen anzubändeln. Dann bekam unser Sohn Krebs. Ich sah, wie er litt, und konnte nichts dagegen machen. Ich mußte nicht nur zusehen, wie jemand, den ich liebte, Schmerzen erduldete; es entwickelte sich bei mir auch die Idee, mein Junge – mein einziger Sohn – müsse leiden, weil ich gesündigt hatte. Gott strafte mich. Als mein Sohn starb, war ich untröstlich. Oder vielmehr, ich wollte mich nicht trösten lassen, weil ich mich für das Geschehen verantwortlich fühlte. Ich rauchte täglich drei Päckchen Zigaretten und konnte meiner Frau noch nicht einmal sagen, warum ich mich ihr noch mehr entfremdete als zuvor. Schließlich war ich dem Zusammenbruch nahe und ging zum Psychiater. Drei Jahre lang brauchte ich wöchentlich zwei Beratungen. Dann hatte ich verstanden, daß ich nicht für den Tod meines Sohnes verantwortlich war. Jetzt kann ich wieder leben und weiß, daß er nicht durch meine Schuld gestorben ist. Aber manchmal, wenn ich deprimiert oder abgespannt bin, schleicht sich dieser Gedanke immer noch einmal bei mir ein. Dann nehme ich mich zusammen und versuche, logisch zu denken. Aber – was die Hauptsache ist – meine Frau und ich haben wieder zusammengefunden, und ich betrüge sie nicht mehr.«

Vor etwa dreißig Jahren gebar eine Frau, die in einer Kleinstadt lebte, ein außereheliches Kind. Anstatt das kleine Mädchen, wie damals üblich, zur Adoption freizugeben, behielt sie es und zog es groß, trotz der Mißbilligung, die sie von seiten der Gesellschaft erfuhr. Schließlich, nach langen Jahren, heiratete die Mutter und kurz darauf auch die Tochter. Bald danach starb die Tochter an einer Gallenoperation. Das ist nun zwei Jahre her, und die Mutter meint noch heute, der Tod ihrer Tochter sei eine Strafe für ihre – der Mutter – damalige »Sünde«. Die vielen Jahre liebevoller Fürsorge, die sie dem Kind hat angedeihen lassen, sind für sie vergessen und ausgelöscht. Sie kann nichts anderes denken, als daß ihre Tochter hat sterben müssen, weil sie selbst einst außereheliche Beziehungen gehabt hat.

Diese Eltern sind das Opfer eines Denkens, das uns meist schon in früher Jugend anerzogen wird. Es ist eine Art magischen Denkens. Als Kindern wird uns beigebracht, daß wir fleißig beten sollen, wenn wir uns etwas wünschen. Sind wir recht brav, dann werden wir belohnt, und unsere Wünsche werden erfüllt. Sind wir fein lieb, dann sieht das der Nikolaus von ferne und wird es uns zu seiner Zeit lohnen. Wer weiß, vielleicht helfen uns auch die Wichtelmänner oder irgendwelche Feen. Und wenn wir schön fromm sind und fleißig beten, wird Gott unsere Gebete erhören.

In diesem Denken sind wir erzogen, und deswegen glauben wir, daß unsere Wünsche und Taten einen gewissen Einfluß auf den Lauf der Dinge haben. Während das für den größten Teil der menschlichen Unternehmungen auch zutrifft, so ist es doch höchst selten der Fall, wenn es um Tod und Leben geht.

Wir können uns ein neues Auto oder eine andere Wohnung wünschen und entsprechende Schritte unternehmen. Wir wünschen uns vielleicht eine schöne Sommerreise oder einen Skiurlaub. Oder Glück oder Liebe. Oft liegt es in unserer Macht, darauf hinzuwirken, daß unsere Hoffnungen in Erfüllung gehen.

Aber wo es um Tod und Leben geht, können wir nicht handelnd eingreifen. Gerade hier, an diesem entscheidenden Punkt, entdecken wir unsere Ohnmacht. Meine Gebete wurden nicht erhört – und ebensowenig die Gebete jener ungezählten anderen Eltern, die ein Kind begraben mußten. Ich hatte insofern Glück, als ich dieses Geschehen nicht als eine Strafe auffaßte.

Aber es gibt viele Fälle, in denen hinterbliebene Eltern genau das tun. Sie sind überzeugt davon, daß ihre Sünden den Tod ihres Kindes verursacht haben. Wahllose Geschlechtsbeziehungen, Ehebruch, heimliche Geldgeschäfte, mangelnder Glaube an Gott – kurz, irgendeine Übertretung der Zehn Gebote, die im Grunde keinem Menschen fremd bleibt, kann Zwangsvorstellungen entstehen lassen, die im Falle des Todes eines Kindes katastrophale Wirkungen entfalten können.

Ein Psychiater berichtet, daß Eltern sich auch oft selbst ein Urteil sprechen, das mit der betreffenden Situation gar nichts zu tun hat.

Ein Beispiel hierfür ist der Fall eines Vaters, der mit seinem Sohn eine Auseinandersetzung hatte, weil dieser die Garage verschmutzt, sein Bett ungemacht liegen lassen und die Schulaufgaben nicht erledigt hatte. So erlebten beide miteinander einen höchst unerquicklichen Morgen. Drei Stunden später war der Junge tot. Auf einer belebten Kreuzung hatte ein Lastwagen das Auto, in dem er saß, gerammt.

Jahrelang konnte der Vater nicht einsehen, daß er unschuldig am Tod seines Sohnes war. Schließlich war er doch ärgerlich und erzürnt über ihn gewesen. Deshalb war der Sohn wegen der feindlichen Gefühle des Vaters gestorben. Nur der Vater war schuld. Wieder das magische Denken.

Bei manchen Eltern entsteht das Bewußtsein einer schweren Schuld auch dadurch, daß gesellschaftliche Konvention ihnen die Rolle von »Beschützern« verordnet hat. Sie meinen nun, sie hätten in dieser Rolle versagt.

Ein Beispiel hierfür sind jene Eltern, deren kleiner Bub ertrank, während sie ihr Ferienhaus neu anstrichen. Sie hatten den Kleinen der Obhut einer höchst zuverlässigen jungen Frau anvertraut. Diese ließ das Kind für einige Augenblicke unbeobachtet, um den Hund der Familie, der fortgelaufen war, einzufangen. Während sie fort war, fiel der Bub kopf-über ins Wasser. Als sie kam, fand sie ihn im See treibend – tot.

Das Häuschen, Ort der Ferienfreude und der Erholung für das Ehepaar und ihre vier anderen Kinder, ist inzwischen verkauft. Die Eltern können nicht aufhören, sich Vorwürfe zu machen.

Es ist im allgemeinen leichter, den durch eine Krankheit herbeigeführten Tod als den Unfalltod eines Kindes zu bewältigen – es sei denn, es existieren sehr tiefsitzende Schuldgefühle. So behauptet ein Psychiater, es sei vielen Eltern durchaus möglich, eine Herzkrankheit oder Leukämie oder Knochenkrebs sozusagen als fremden Eindringling zu betrachten, über den sie keine Macht haben. Sie können daher oft leichter akzeptieren, daß sie den Tod ihres Kindes nicht mitverschuldet haben, als Eltern, deren Kind durch einen Unfall ums Leben kam. Ein Unfalltod, so meint der Arzt, führt bei vielen Eltern zu quälenden Fragen: War es richtig, daß wir Jimmy an jenem Abend den Wagen gegeben oder ihm das Boot überlassen haben? Hätten wir ihm verbieten sollen, mit dem Fahrrad loszuziehen? Kommt der Tod dagegen als Krebstod, so fühlen sich die Eltern selbst auch als Opfer, weil sie Schweres erleben und zusehen mußten, wie ihr Kind sich mit Schmerzen quälte.

Mit anderen Worten: Wenn ein Kind bei einem Unfall ums Leben kommt, dann ist es wahrscheinlich, daß sich die Eltern wegen irgendwelcher falscher Entscheidungen Vorwürfe machen. Aber bei Krankheiten sind wir eher geneigt zuzugeben, daß wir machtlos sind.

Wenn wir einmal meine eigenen Erfahrungen als Beispiel heranziehen, so muß ich sagen, daß der oben erwähnte Psychiater zutreffend urteilt. Im Umgang mit meinen überlebenden Kindern habe ich zwar manchen Kummer und manches Ohnmachtsgefühl erlebt – und sicher auch manchen Fehler gemacht. Aber in bezug auf den Tod meines Sohnes sind bei mir nie irgendwelche erkennbaren Schuldgefühle aufgetreten. Vielleicht lag dies zum Teil auch an der umsichtigen Art und Weise, in der unser Kinderarzt uns beriet.

Dieser Mann war der Meinung, daß er mit Eltern schwerkranker Kinder grundsätzlich offen reden müsse. Am Anfang unseres zehn Jahre währenden Kampfes um unseren Sohn sagte er uns einmal, daß die ärztliche Praxis in der Wirklichkeit anders aussehe als im Fernsehen. Im Fernsehen nämlich halten die Ärzte ihr Wissen vor den Eltern zurück. Er dagegen klärte uns frühzeitig darüber auf, daß die Chancen für Robbys Überleben nicht groß waren.

Aufs Ganze gesehen war es wohl gut für mich, daß ich diese Warnung ernst nahm und jene schreckliche Möglichkeit, daß unser Sohn sterben könnte, in mein Denken miteinbezog.

Der Arzt und ich schlossen einen Pakt: Er versprach, mir zu sagen, wenn sich Robbys Zustand besorgniserregend verschlechterte, und ich versprach dafür, mir keine Sorgen zu machen, solange das nicht nötig war. Manchmal fiel mir das ungemein schwer; aber allmählich begann ich, an seine Aufrichtigkeit zu glauben. Wenn er mir in einem bestimmten Stadium einer bestimmten Krankheit sagte, ich brauchte keine Sorge zu haben, dann nahm ich ihm das ab, und er behielt auch recht. So kam es, daß ich zwar alles Menschenmögliche für Robby tat – medizinisch und auch in jeder anderen Hinsicht – und mich doch zugleich mit einem Teil meines Selbst an den Gedanken zu gewöhnen suchte, daß er sterben konnte. Ich erinnere mich, daß ich mir hinsichtlich seiner Erziehung ganz bewußt vornahm, auf bestimmte Dinge zu achten und sie auch durchzuführen. Dazu gehörte zum Beispiel, daß Robby bestraft wurde, wenn er sich ungehörig benahm. Er sollte ja eine möglichst normale Kindheit haben. Falls er sterben sollte, wollte ich mir keine Versäumnisse in dieser Richtung vorzuwerfen haben.

Auch der Herzspezialist, der unseren Sohn behandelte, hatte große Erfahrung im Umgang mit kranken Kindern. Immer wieder betonte er, daß das Leben des kleinen Patienten in möglichst normalen Bahnen verlaufen müsse, denn nur so könne sich bei ihm ein gewisses Gefühl der Sicherheit entwickeln.

Daß ich später nicht an unbegründeten Schuldgefühlen litt, liegt meiner Meinung nach zum großen Teil daran, daß ich dem Rat beider Ärzte folgte. Noch heute tröste ich mich damit, daß Robby eine normale Kindheit erlebt hat – so normal jedenfalls, wie es sein labiler Gesundheitszustand und die daraus sich ergebenden häufigen Eingriffe in sein Leben nur immer gestatteten.

Wahrscheinlich kann niemand ermessen, welche Hölle von Schuld und Selbstanklagen diejenigen Eltern durchleiden müssen, deren Kind Selbstmord begangen hat.

Wo habe ich etwas falsch gemacht? Was hätte ich anders machen sollen? Hätte ich es verhindern können? Was muß ich für ein Mensch sein, wenn mein eigenes Kind so etwas tut, um von mir loszukommen! Ich habe nicht genug aufgepaßt. Ich habe zuviel aufgepaßt. Derartige Schuldgefühle suchen Eltern heim, wenn ein Kind Selbstmord begeht.

Selten nur kommen Vater und Mutter – ohne daß sie sich einer Therapie unterziehen – auf den Gedanken, einmal anders zu fragen: Wo hat *er* (sie) etwas falsch gemacht? Was hätte *er* (sie) anders machen sollen? Hätte *er* (sie) es verhindern können? Was für ein Mensch ist *er* (sie) gewesen? und so weiter.

Dr. Bruce Danto, Psychiater und Leiter des Selbstmordverhütungszentrums in Detroit, ist der Meinung, daß es nicht nur Schuldgefühle sind, die die Eltern beherrschen. Vielmehr regt sich in ihnen – wenn auch völlig unbewußt – ein gewisser Ärger darüber, daß Sohn oder Tochter sie freiwillig und in aller Öffentlichkeit verlassen und damit auf katastrophale Weise deutlich gemacht haben, daß die Liebe der Eltern nicht groß genug war.

Dr. Danto berät Eltern, die lernen müssen, mit dem Freitod ihres Kindes fertig zu werden. Er berichtet, daß es sich in seiner Arbeit als äußerst hilfreich erwiesen hat, Interaktionsgruppen zu bilden, in denen Leute mit ähnlichen Erfahrungen einander begegnen. Auch ist der Arzt bemüht, jenes allgemeine Vorurteil abzubauen, daß man über Tote nichts Schlechtes reden soll.

»Es ist nun einmal so«, sagt er, »wer sich das Leben nimmt, steigt eben freiwillig aus.«

Er behauptet auch, daß der Selbstmord eines Bruders oder einer Schwester die Geschwister tiefer und schmerzlicher trifft als jeder andere mögliche Todesfall, der sich in ihrer Umgebung ereignen kann; denn auch sie fühlen sich schuldig und meinen, sie hätten versagt.

»Nächst den Finanzbeamten sind die Kinder wohl die Menschen, die am häufigsten belogen werden«, sagt er. »Anstatt daß man in der Familie gemeinsam trauert und die Probleme gemeinsam durchspricht, schiebt man die Kinder meist irgendwie zur Seite und sagt ihnen fast nie, was wirklich passiert ist.«

Seiner Meinung nach ist es auch nicht unangemessen, sich über die Toten zu erzürnen, besonders dann nicht, wenn man ihren Selbstmord verstehen und ihn zugleich den überlebenden Kindern begreiflich machen will.

Obwohl Dr. Danto mit großem Ernst darauf hinweist, daß man sein Kind gut kennen muß, wenn man mit ihm über den Selbstmord des anderen Kindes reden will, so ist er doch der Meinung, daß es ganz und gar nicht verkehrt ist, wenn man die Sache offen beim Namen nennt und die Wahrheit sagt. Gut ist es, wenn man dabei auch versucht, ein wenig der Frage nachzugehen, warum das Kind diesen unglückseligen Ausweg gesucht hat. Wenn man hier irgendwelche Vermutungen ausspricht, so muß man darauf achten, daß sie keinerlei Vorwurf gegenüber den Überlebenden enthalten.

»Er war ein Einzelgänger. Sie war unglücklich. Es stand nicht in unserer Macht, ihn glücklich zu machen, obwohl wir uns so darum bemüht haben. Sie hat etwas Schlimmes getan.«

Der Psychiater betont, Unwillen und Empörung über diese »unfaire« Art, sich davonzumachen, seien berechtigt. Seiner Meinung nach kommt es entscheidend darauf an, daß Schuldgefühle und selbstquälerische Anklagen bereits im Keim erstickt werden. Dabei muß über alle Dinge mit den überlebenden Familienangehörigen offen gesprochen werden. Hat man einen berechtigten Vorwurf gegen das Kind, das durch eigene Hand gestorben ist, so soll man ihn nicht unterdrücken.

Ein Ehepaar, dessen Sohn sich erschossen hat, konnte viele Probleme gemeinsam aufarbeiten. Und doch läßt ein Gedanke sie nicht zur Ruhe kommen: Vielleicht hätte ihr Junge nicht zu Drogen gegriffen und sich schließlich umgebracht, wenn sie ihn in der Kindheit härter angepackt und strenger in Zucht gehalten hätten. Aber wir Eltern müssen uns immer wieder daran erinnern lassen, daß unsere Augen nicht im Hinterkopf sitzen und wir also nicht zur Rückschau geschaffen sind. Späte Einsichten helfen dem toten Kind überhaupt nichts. Was geschehen ist, können wir nicht ungeschehen machen.

Über unsere Fehler ins Grübeln zu verfallen und unser Leben mit dem toten Kind noch einmal zu erleben, ist völlig sinnlos, es sei denn, wir gewinnen daraus irgendwelche Erkenntnisse, die für die Erziehung unserer anderen Kinder von Wert sind. Hier muß jedoch eine deutliche Warnung ausgesprochen werden: Unsere Trauer darf uns nicht zu einem unkontrollierten Umschlag in unserer Erziehungsmethode verleiten. Wenn du das tote Kind zu streng erzogen hast, darfst du jetzt nicht plötzlich so großzügig werden, daß überhaupt keine Richtlinien mehr gelten. Dasselbe gilt umgekehrt.

Vernünftigerweise sollte sich keiner wegen irgendwelcher unwissentlich begangener Fehlhandlungen Vorwürfe machen. Aber wenn ein Kind durch Drogenmißbrauch oder Selbstmord stirbt, ist es fast unumgänglich, daß wir uns fragen, ob wir bestimmte Dinge hätten anders machen sollen.

Es ist wohl unvermeidlich, daß Vater und Mutter in solch einem Fall von dem Gefühl bedrückt werden, daß sie Fehler gemacht haben. Ob das Kind die Drogen nur nahm, um mit seinen Kameraden mitzuhalten oder um der Wirklichkeit zu entfliehen – oder vielleicht auch, weil es an die Unsterblichkeit der eigenen Jugend glaubte –, für die Eltern stellt sich wohl immer die Frage: Was hätten wir denn anders machen sollen? Es ist für Eltern, die eine solche Tragödie durchleiden müssen, von entscheidender Bedeutung, daß sie lernen, sich von dieser Frage und vom Gefühl des Versagthabens zu lösen. Nicht alles steht in unserer Macht. Es gibt viele Dinge, die wir nicht beeinflussen oder korrigieren können – Dinge auch, denen wir nicht gewachsen sind. Das müssen wir zu lernen versuchen. Und dann gilt es zu akzeptieren, daß die Vorstellung, Eltern könnten vollkommene Eltern sein, an der menschlichen Wirklichkeit vorbeigeht.

Bei alledem mag es hilfreich sein, wenn wir uns erinnern: »Ich habe versucht, bei der Erziehung meines Kindes mein Bestes zu geben. Ich war dafür nicht besonders ausgebildet, aber ich war bestrebt, aus Fehlern zu lernen und alles so gut wie möglich zu machen.« Und dann sollten wir auch daran denken, daß das »Beste«, was ein Mensch zu geben vermag, an jedem Tag anders aussehen kann – je nachdem, welche Forderung das Leben gerade an uns heranträgt.

Wenn wir uns mit unbegründeten Schuldgefühlen herumschlagen – und nicht nur in diesem Fall! –, kann das verständnisvolle Zuhören eines Dritten für uns Eltern eine große Hilfe sein. Nicht alle Leidtragenden haben das Glück, umsichtig ratende Ärzte zur Seite zu haben. Auch können wir nicht immer eine psychiatrische Beratung in Anspruch nehmen. Aber einen Freund, Verwandten oder Nachbarn, mit dem man reden kann, hat fast jeder. Such dir einen Menschen, dessen Urteil du traust, und wechsle diese Person deines Vertrauens nicht ständig. Wahrscheinlich wird dich das Gespräch mit einem solchen Menschen selbst zu der Erkenntnis führen, daß dein Kind nicht deswegen gestorben ist, weil du gesündigt hast oder nachlässig oder ein schlechter Vater gewesen bist. Und wenn du dich wirklich ernsthaft prüfst und den Dingen auf den Grund gehst, entdeckst du vielleicht auch, warum du dich an einem Geschehen schuldig fühlst, das du nicht bewirkt hast.

> Doch sag dem Kind des Elends nicht, das Leben sei so schön.
>
> H. K. White

Ein altes syrisches Märchen erzählt, wie ein schöner Jüngling, der Sohn des Sultans, in Damaskus in die Residenz seines Vaters gestürzt kam und rief, er müsse sofort nach Bagdad.

Als der Sultan ihn fragte, warum er es denn so eilig habe, antwortete der Junge: »Ich habe den Tod im Garten des Palastes stehen sehen. Als er mich erblickte, streckte er wie drohend die Arme nach mir aus. Ich darf keine Zeit verlieren und muß ihm entfliehen.«

Der Sultan stimmte zu und gab dem Knaben sein schnellstes Pferd. Nachdem er fortgeritten war, begab sich der Herrscher voll Unmut in den Garten und fragte den Tod, wieso er es wagen könne, den Sohn des Sultans in Angst und Schrecken zu versetzen.

Verwundert hörte ihn der Tod an und sagte dann: »Glaube mir, ich habe deinem Sohn nicht gedroht. Ich habe nur voller Erstaunen die Arme hochgeworfen, als ich ihn hier sah. Denn für heute abend habe ich eine Verabredung mit ihm in Bagdad.«

Da erkannte der Sultan, der mächtigste Mann im Land, was viele hinterbliebene Eltern seitdem haben lernen müssen: Es gibt Dinge, auf die wir keinen Einfluß haben.

Der Tod eines Kindes und das ihn begleitende Gefühl der Ohnmacht treffen die Eltern sozusagen in einem elterlichen Grundinstinkt, nämlich in dem Verlangen, die eigenen Nachkommen zu schützen. Deswegen ist gerade das Bewußtsein der eigenen Ohnmacht so schwer zu ertragen. Nur zu oft glauben wir Eltern, es hätte uns einfach gelingen müssen, diese Tragödie zu verhindern.

Wenn uns das Gefühl der eigenen Ohnmacht befällt, befinden wir uns in einer wahrhaft tragischen Situation. Wir müssen nicht nur dem Leid, das uns getroffen hat, standhalten.

Wir müssen zugleich damit fertig werden, daß wir unfähig gewesen sind, dieses Leid zu verhindern.

Uns ist ohnehin kaum etwas Schweres erspart geblieben, und nun haben wir also noch diese doppelte Last auf unseren Schultern. Aus der Ohnmacht der Trauer erwachsen Beklemmungen, deren Bewältigung zu den schmerzhaftesten Aufgaben unserer Trauerarbeit gehört. Wie wichtig es ist, daß wir uns mit diesen Ohnmachtsgefühlen auseinandersetzen und sie überwinden, ist schon aus der Tatsache zu ersehen, daß uns das ungemein schwerfällt.

Nach Meinung mancher Psychiater reagieren hinterbliebene Eltern auf die Erkenntnis ihrer eigenen Ohnmacht ähnlich wie auf andere unangenehme Dinge, die sich einem in den Weg stellen können: nämlich mit Ärger, Zorn, Frustration, Angst, Tränen, Hysterie. In alledem steckt etwas von Ohnmacht. Wahrscheinlich aber werden solche Eltern in diesem Gefühl noch zusätzlich dadurch bestärkt, daß unsere Gesellschaft überzogene Vorstellungen von Mutterschaft und Vaterschaft hat.

Selbst in diesem Punkt ist das konventionelle Rollenverständnis von Mann und Frau noch wirksam. Meistens fällt es einem Vater schwerer als einer Mutter, sich damit abzufinden, daß er die Verhältnisse nicht ändern kann.

Eine Familie mit mittlerem Einkommen pflegte die Tochter zwei Jahre lang, bis diese im Alter von zwölf Jahren ihrer Krebskrankheit erlag. Sie starb, obwohl man für ihre Rettung keine Ausgabe gescheut und obwohl man sie mit größter Fürsorglichkeit und Liebe umgeben hatte.

Zwar haben die Eltern inzwischen einen konkreten Schritt in Richtung auf die Bewältigung ihrer Trauer unternommen und sich einer Organisation leidtragender Eltern angeschlossen. Aber ihr Ohnmachtsgefühl haben sie noch nicht überwunden. Der Mann verbringt sieben Tage in der Woche in seinem Büro. Die Frau klagt über alle möglichen körperlichen Beschwerden, und die Ärzte sagen, daß sie mit ihrem Kummer zusammenhängen.

»Schon drei Jahre ist unsere Tochter nun tot. Ich glaube, ich kann mich niemals damit abfinden. Ich hätte es fertigbringen müssen, sie zu retten«, sagt der Vater.

Viele Soziologen werden mir wohl darin zustimmen, daß ein Mann, der im Berufsleben erfolgreich ist und es auch finanziell zu etwas gebracht hat, eher als andere daran gewöhnt sein mag, daß er den Lauf der Dinge in seinem Sinn lenken kann. Für solch einen Mann ist es besonders schwer zu verkraften, daß es ihm nicht gelungen ist, das allerwichtigste Geschehen in seiner nächsten Umgebung unter Kontrolle zu bringen und das Leben seiner Tochter zu retten. Allerdings ist eine derartige Erfahrung für jeden Vater bitter, ganz gleich, wie seine wirtschaftliche oder gesellschaftliche Stellung ist.

Auch eine Mutter, die meist keine großen geschäftlichen Erfolge aufzuweisen hat, wird dennoch von dem Gefühl beherrscht, der Gesundheitszustand ihres Kindes hätte ihrer Kontrolle nicht entgleiten dürfen. Sie hätte besser achtgeben müssen.

Als Robby geboren wurde, wog er weniger als drei Pfund. Schon damals schonten uns die Ärzte nicht und gaben uns – in aller Behutsamkeit – zu verstehen, daß wir ein sehr krankes Kind hatten. Er lebte beinahe zehn Jahre lang, und in dieser Zeit kämpften wir verzweifelt darum, ihn vor Infektionen zu schützen, da sein Herz von ihnen zu stark in Mitleidenschaft gezogen wurde. Ich war derjenige Elternteil, der bei ihm zu Hause blieb, und daher fiel es mir zu, einen Großteil dieses Kampfes auszufechten. In der letzten Zeit war sein Leben fast nichts anderes mehr als eine einzige endlose Infektion. Er ging zur Schule. Wurde krank. Blieb drei oder vier Tage zu Hause. Wurde gesund. Ging zur Schule und wurde wieder krank. Zehn Jahre lang war der Versuch, unseren Sohn zu retten, unser wesentlicher Lebensinhalt.

Und dann, nach fast zehn Jahren, starb er. Plötzlich mußte ich der Tatsache standhalten, daß sein Tod – der Tod dieses Kindes, das ich so sehr liebte – außerhalb meines Einflußbereiches lag. Ich verlor nicht nur Robby, ich verlor einen Lebensinhalt.

Eigenartigerweise und sicher nicht zufällig kann ich mich noch lebhaft daran erinnern, wie ich seine nun nicht mehr benötigte Flasche mit Digitalistabletten im Hotelzimmer in Alabama in einem Papierkorb liegen sah. Ein Freund, der uns half, unsere Sachen für die Heimkehr nach Michigan zu pakken, hatte sie fortgeworfen. Wir waren Hunderte von Meilen gereist, um jede nur mögliche Chance für unseren Sohn wahrzunehmen. Hier in Alabama praktizierte ein Arzt, der für die Behandlung der betreffenden Herzkrankheit *die* Kapazität war. Und nun wußten wir, daß die größte Kapazität nicht groß genug gewesen war.

Ich erinnere mich, daß ich auf die Flasche sah und daran dachte, daß ich nun nie mehr um ihn kämpfen müßte. Und ich hatte das Gefühl, ich sei fortan genauso nutzlos und unbrauchbar wie jene Tabletten, die niemals mehr eingenommen werden würden.

Die Psychiater sagen, dieses Gefühl der Ohnmacht sei in allen leidtragenden Eltern lebendig, wenn auch in unterschiedlicher Stärke.

Eltern, deren Kinder durch einen Unfall ums Leben gekommen sind, erfahren ihre Ohnmacht wahrscheinlich in besonders überwältigendem Maße. Zwar scheint der Tod eines Kindes in jedem Fall absolut sinnlos zu sein, aber bei einem Unfalltod erleben wir dieses Gefühl der Sinnlosigkeit in geradezu bedrängender Intensität.

Hier ist ein gesundes, hoffnungsvolles, glückliches Kind, und es geht auf eine kurze Autofahrt oder Fahrradtour oder zum Schwimmen – und stirbt.

Oder da ist ein Junge, der von zu Hause fortgegangen ist und wahrscheinlich noch gerufen hat: »Tschüs, Mutti! Bis bald!« Und dann ist er einfach nie mehr zurückgekommen.

Besonders stark – stärker noch als bei uns, die wir Erfahrungen mit einem kranken Kind gemacht haben – sind wohl auch die Ohnmachtsgefühle solcher Eltern, deren Kind sterben mußte, weil es gesund und wohlauf war – gesund genug, um eingezogen zu werden.

Man stelle sich die Gefühle eines Vaters oder einer Mutter vor, deren Sohn in Vietnam gefallen ist. Sie mußten nicht nur ihrem Schmerz standhalten, sie mußten darüber hinaus noch den Widerwillen verkraften, den viele Amerikaner diesem Krieg gegenüber verspürten. Diese Eltern hatten einen toten Sohn – und viele Leute vertraten nachdrücklich die Meinung, er sei in einem unnützen, zwecklosen, unmoralischen Konflikt gestorben. Was empfinden solche Eltern? Die Vergeblichkeit oder Sinnlosigkeit des Opfers? Ihre eigene mangelnde Einflußmöglichkeit?

Allerdings gibt es auch Eltern, die selbst in dieser Situation noch mit einem standhaften Patriotismus gesegnet sind. Oft ist er so stark, daß er ihre Ohnmachtsgefühle überwinden kann.

»Ich habe meinen Jungen lieb gehabt«, sagte ein Vater. »Aber ich war auch stolz, als er in seiner Uniform nach Hause kam. Zwar habe ich gewußt, daß ihn das auch das Leben kosten konnte. Aber schließlich kann man auch beim Autofahren umkommen. Er hat jedenfalls etwas mit seinem Leben angefangen. Er ist für sein Land gestorben.«

Dagegen kann eine Mutter, der es ebenso ergangen ist, überhaupt keinen Trost in solchen Gedanken finden. Sie ist Sprechstundenhilfe in einer Arztpraxis. Ihr einziger Sohn ist in Vietnam gefallen, und seitdem ist sie völlig verbittert. Früher war sie eine strahlend fröhliche Frau. Heute begegnet sie allen Menschen mit Feindseligkeit.

»Es gibt nichts, wofür zu sterben sich lohnt, wenn man dafür andere Menschen in solchem Kummer zurückläßt«, sagt sie. »Gar nichts.«

Diese Frau verwendet viel Zeit und Kraft darauf, immer wieder von neuem zu beklagen, daß sie ihren Sohn damals nicht gezwungen hat, weiter auf dem College zu bleiben und dadurch den Zeitpunkt der Einberufung hinauszuschieben. »Wir könnten ihn noch haben, wenn ich nur lang genug geredet hätte«, jammert sie.

Es gibt noch eine andere Gruppe von Eltern, die alle Tiefen der eigenen Ohnmacht durchleiden müssen. Es sind die Eltern, deren Kinder durch Gewaltverbrechen umkommen. Die Zahl derartiger Taten ist in unserer Gesellschaft ständig im Steigen begriffen.

Man stelle sich vor, wie schockierend es für das ältere Ehepaar gewesen sein muß, als es Auge in Auge dem Mann gegenüberstand, der des Mordes an ihrem Sohn, einem Taxifahrer, für schuldig befunden worden war. Die beiden hatten in einem Warenhaus Weihnachtseinkäufe gemacht und standen plötzlich an der Kasse genau hinter dem Mann. Der Ehemann eilte zum Telephon und rief das Büro des Staatsanwaltes an.

Von dort wurde ihm mitgeteilt, daß der Totschläger nicht etwa aus dem Gefängnis ausgebrochen war. Er hatte vielmehr ein Jahr in einer Nervenheilanstalt zugebracht und war inzwischen von einem Psychiater für gesund erklärt worden.

Das gleiche bedrückende Gefühl eigener Ohnmacht erfuhr auch ein anderes Ehepaar. Die Tochter der beiden hatte bei ihren Schulkameraden als das Mädchen mit der aussichtsreichsten Zukunft gegolten. Sie hatte Charme, Verstand und Geld. Sie wurde erstochen. Die Eltern sind fest davon überzeugt, daß ihr Schwiegersohn sie umgebracht hat, auch wenn die polizeilichen Ermittlungen diese Vermutung eher widerlegt haben. Jetzt haben sie Privatdetektive angestellt, die ihrem Verdacht nachgehen sollen. Bisher sind aber keinerlei Beweismittel gefunden worden.

Der Schwiegersohn hat sein Kind, ein achtjähriges Mädelchen, verlassen. Es ist von den Großeltern angenommen worden.

»Wir achten vor allem darauf, daß wir das Kind nicht mit Haß erfüllen«, sagt der Großvater. »Aber wir haben unsere Tochter geliebt. Wir sind ganz sicher, daß er sie umgebracht hat, und manchmal steigt der Haß doch in uns auf. Wir versuchen dann, ihn uns nicht anmerken zu lassen; aber ich weiß, daß man ihn trotzdem manchmal bei uns spürt.«

Die meisten Eltern in dieser Situation verbringen ungezählte Stunden, Tage und Jahre damit, eine Antwort auf die Frage zu suchen, warum ihr Kind sterben mußte. Manche Leute finden nach langem Grübeln eine religiöse Antwort und trösten sich damit. Andere kommen zu dem Ergebnis, daß sie endlich damit aufhören müssen, immer wieder nach dem Warum zu fragen, wenn sie selbst überleben wollen.

Es gibt den Fall eines Vaters, der sozusagen *das* Beispiel für Frustration und Ohnmacht schlechthin ist. Seine Geschichte ging kürzlich durch die Zeitungen, als er dagegen protestierte, daß der Mörder seiner Tochter als »Mann des Jahres« ausgezeichnet werden sollte.

Der Empfänger dieser Auszeichnung sitzt im Gefängnis und hatte vor neun Jahren die verheiratete Tochter dieses Vaters überfallen, vergewaltigt und umgebracht. Die betreffende staatliche Behörde, die mit derartigen öffentlichen Ehrungen befaßt ist, wußte entweder nicht, daß der Kandidat eine Haftstrafe verbüßte, oder sie war der Meinung, er sei inzwischen rehabilitiert. Jedenfalls wurde ihm eine Auszeichnung dafür verliehen, daß er fünfundvierzigtausend Druckseiten in Blindenschrift übertragen hatte.

Ich erinnere mich noch genau an meine Reaktion, als ich von dieser Geschichte hörte. Ich war hell empört, denn ich dachte sofort an die Angehörigen des toten Mädchens.

Der Vater, ein Witwer, erfuhr die schändliche Nachricht von seinem Sohn, der sie seinerseits der Zeitung entnommen hatte.

»Obwohl es schon neun Jahre her ist, hat mein Junge die Geschichte immer noch nicht verwunden – er sah damals die Leiche. Und dann, eines Morgens, nahm er die Zeitung und las darin, daß ausgerechnet diese Kreatur zum ›Mann des Jahres‹ gewählt werden sollte. Da geriet er völlig außer sich«, erzählt der Vater. »Ich rief bei der Zeitung an und sagte dem Reporter, der die Geschichte geschrieben hatte, wie tief es mich empörte und verletzte, daß so etwas überhaupt möglich war. Ja, das Ergebnis war, daß ich dreimal in irgendwelchen Fernsehsendungen auftrat und alle möglichen Fragen über mein Befinden zu beantworten hatte. Alle Leute waren meiner Meinung, nur die betreffende staatliche Behörde nicht. Allerdings hat sich unser Ortsverband an der Preisverleihung nicht mehr beteiligt, nachdem die Fakten öffentlich bekannt geworden waren.

Aber die anderen zogen die Sache durch, trotz allem. Es nutzte überhaupt nichts, daß ich in Radio, Fernsehen und Zeitungen darauf hingewiesen hatte, was für eine Person das ist, die da ausgezeichnet wird.

Manchmal schien es mir, als könnte ich das nicht ertragen. Aber ich glaube an Gott – und ich bete. Die einzige Hoffnung, die mir bleibt, ist, daß Gott ihn strafen wird. Es ist nicht genug für ihn, daß er bloß im Gefängnis sitzt. Aber jetzt habe ich Angst davor, daß dieser Mörder sich auf seine Auszeichnung berufen und dafür vielleicht Strafaussetzung erhalten kann. Das wäre furchtbar.«

Der Vater ließ mich auch wissen, daß er während der Zeit seines erfolglosen Kampfes aus dem ganzen Land durch Briefe und Telephonanrufe solcher Eltern unterstützt wurde, deren Kinder ebenfalls – wenn auch auf die verschiedenste Art und Weise, zum Teil auch durch Krankheit – ums Leben gekommen waren. Sie alle taten ihm gegenüber ihre Empörung kund.

»Ein Mann rief mich viermal an, erzählte mir, daß sein Sohn ermordet worden war, und beschwor mich immer wieder, die Sache durchzustehen. Im Grunde brauchte dieser Mensch nur jemanden, der ihm zuhörte und bei dem er sich ausweinen konnte. Beim vierten Mal sagte ich zu ihm, er sollte mit der dauernden Anruferei aufhören. Ich hätte einfach nicht die Kraft, ihm dauernd zuzuhören und dazu noch meinen Kampf auszufechten. Ich bin jetzt beinahe siebzig. Er tat mir leid, aber es ging nicht anders.«

Dieser Vater, der inzwischen pensioniert ist, erzählte mir, wie schwer es ihm überhaupt – auch abgesehen von der Sache mit der Auszeichnung des Mörders – gefallen ist, mit dem gewaltsamen Tod seiner Tochter fertig zu werden. Aber sein Beruf habe ihm dabei viel geholfen.

»Ich habe geschafft und geschafft, um mir darüber hinwegzuhelfen«, sagte er. »Wenn ich dann nach Hause kam, habe ich dort noch alles mögliche gearbeitet, bis ich todmüde ins Bett fiel. Ich mußte einfach dauernd beschäftigt sein. Ich habe auch geweint. Wenn meine Kollegen mir ihr Beileid aussprachen, habe ich immer weinen müssen. Und daß dann später alles noch mal aufgerührt worden ist und man den Mörder meiner Tochter sozusagen zu einer Art Helden gemacht hat, das ist fast mehr, als ich verkraften kann.«

Wohl alle hinterbliebenen Eltern können die Ohnmacht, den Zorn und die Qual dieses Vaters mitempfinden. Auch ich war voll Empörung über diese Geschichte.

In manchen Eltern erwacht nach dem Tod ihres Kindes das überwältigende Bedürfnis, sich gegen diese Ohnmacht zu wehren und irgend etwas dagegen zu unternehmen.

So hat zum Beispiel ein – allerdings inzwischen geschiedenes – Ehepaar rechtliche Schritte eingeleitet, um den Tod seines Sohnes zu rächen. Sicher wäre es für sie in ihrem Zorn eine Hilfe und eine Erleichterung, wenn ihrer Klage stattgegeben würde.

Der Junge hatte Grippe und lag in Fieberphantasien. Die Mutter rief den Hausarzt an; der ordnete an, den Jungen ins Krankenhaus zu bringen, dort wolle er ihn untersuchen.

Die Mutter berichtete später, ihr Sohn habe in einem beinahe komaähnlichen Zustand gelegen, und es sei ihr nicht gelungen, ihn ohne Hilfe anzukleiden und ins Auto zu bringen. Sie habe daher die örtliche Polizeistation angerufen und ihre Notlage geschildert. Daraufhin sei eine Polizeistreife vorbeigekommen. Die Beamten hätten den Jungen kurz angesehen und dann gesagt, der sei nicht krank, sondern habe sicher eine Überdosis von Drogen genommen. Sie schnallten ihn auf eine Tragbahre und brachten ihn nicht etwa ins Krankenhaus, wo sein Arzt auf ihn wartete, sondern in ein Drogenzentrum. Dort starb er.

Obwohl keine noch so hohe Geldsumme ihren Sohn wieder lebendig machen kann, haben die Eltern ein Verfahren gegen die Polizei und gegen das Drogenzentrum angestrengt. Ob sie nun recht bekommen oder nicht – man kann nur hoffen, daß sie auf irgendeine Weise mit ihrem Leid fertig werden. Wie auch das Urteil aussehen wird – wenn es je zu einem Urteil kommt –, der traurige Anlaß für das Verfahren wird dadurch nicht berührt. Ob das Gericht nun zugunsten oder zuungunsten der Eltern entscheidet, ihr Sohn ist und bleibt tot. Gegenüber dieser bitteren Wahrheit sind Entschädigungssummen oder Entschuldigungen völlig bedeutungslos.

Eines der bekanntesten Beispiele für die Ohnmacht verwaister Eltern ist der Fall des inzwischen verstorbenen Multimillionärs Aristoteles Onassis. Sein Sohn, ein junger Mann, kam bei einem Flugzeugzusammenstoß ums Leben. Die Empfindungen dieses Vaters können nicht viel anders gewesen sein als die Gefühle der Leute, von denen ich bisher erzählt habe. Man sieht das auch daran, daß er demjenigen eine große Geldsumme versprach, der beweisen könne, daß der Tod seines Sohnes auf einen Anschlag zurückzuführen sei. Immer wieder war auch in der Zeitung zu lesen, daß Onassis den Tod des jungen Mannes nicht verwinden konnte. Manche Leute meinten sogar, daß sein Kummer seinen eigenen Tod beschleunigt hat. Er starb an Myasthenie, einer Krankheit, die das Nervensystem angreift.

So furchtbar die Erkenntnis ist, daß wir die Entscheidung über Tod und Leben des eigenen Kindes nicht in der Hand haben, so quälend kann es andererseits sein, *wenn* uns diese Entscheidung zugemutet wird.

Ich denke an den Fall eines Ehepaares, das erst, als sich bei seinem kleinen Sohn im Alter von zwei Monaten ein Wasserkopf entwickelte, entdeckte, daß das Kind diese Anlage hatte. Zwar war schon kurz nach der Geburt in einer Operation Flüssigkeit aus dem Bereich des Gehirns abgeleitet worden. Aber erst als das Symptom erneut auftrat, wurde den Eltern gesagt, daß ihr Bub für immer auf dem Entwicklungsstand eines Kleinkindes bleiben und nie verständig werden würde.

Die Eltern sind darüber verbittert und erklären, sie hätten der ersten Operation nach der Geburt nie zugestimmt, wenn man ihnen schon damals die Wahrheit gesagt hätte. Sie entschlossen sich, den Ärzten keine weitere Operation zu gestatten. Das Kind lebte sieben Monate, und nach seinem Tod mußten sich die Eltern einer psychiatrischen Behandlung unterziehen, um mit ihrem Trauma fertig zu werden.

»Es war die Hölle«, sagte die Mutter. »Wir hätten so dringend jemanden gebraucht, mit dem wir reden konnten. Aber in unserer Gesellschaft kann man eben über so etwas nicht reden – und wer sich so entscheidet wie wir, der begegnet überall nur Verdammungsurteilen.«

Der Vater ist erbost über solche Organisationen wie zum Beispiel die »Vereine für das Recht auf Leben« oder ähnliche Gruppen, die die Eltern daran hindern wollten, eine, wie sie fanden, unumgängliche Entscheidung zu treffen.

»Da kommen sie daher und sagen, wir hätten kein Recht, das zu tun! Die wissen ja gar nicht, wovon sie reden. Trotzdem kann man aus solchen Sachen viel lernen«, sagte er.

»So würde ich das nicht ausdrücken«, warf seine Frau ein. »Man kann höchstens lernen, wie man überlebt.«

Diese Menschen erlebten eine außergewöhnliche Situation: Sie konnten darüber entscheiden, ob ihr Kind am Leben bleiben oder sterben sollte. Normalerweise gibt es das nicht.

Die meisten von uns gehen durch andere Tiefen. Wir verlieren unser Kind und werden dabei mit Kriegen, Krankheiten oder Unfällen konfrontiert. Und es faßt uns ein Schrecken, weil wir Dingen begegnen, die außerhalb unserer Kontrolle liegen und vor denen wir uns nur beugen können. Aber es ist unermeßlich viel leichter, wenn uns die Entscheidung abgenommen wird. Ich brauchte mich wenigstens nie mit der Frage herumzuquälen, ob es moralisch war, mein Kind sterben zu lassen. Dieses junge Paar, von dem ich zuletzt berichtet habe, hat mein tiefstes Mitgefühl. Ihre Qual muß grenzenlos, ihre Last fast zu schwer sein.

Es ist für hinterbliebene Eltern entsetzlich, wenn sie erkennen müssen, daß der Tod ihres Kindes von ihnen nicht verhindert werden kann – durch nichts. Deswegen ist es gerade dann für eine Mutter und für einen Vater so unerhört wichtig, daß sie irgend etwas zu tun bekommen, etwas, das Zukunft hat.

Das Gegenteil von Ohnmacht ist natürlich Macht. Hinterbliebene Eltern haben plötzlich die Überzeugung verloren, mit der sie bisher gelebt haben – die Überzeugung nämlich, daß sie die Kontrolle über bestimmte Dinge in der Hand haben und daß ihre Entscheidungen in diesem Leben von einem bestimmten Gewicht sind. Nun, da sie fühlen, wie ihnen diese Kontrolle entglitten ist, müssen sie sich woandershin wenden und von neuem lernen, wieder an sich selbst zu glauben und wieder ein Selbstwertgefühl zu entwickeln. Sie sehnen sich nach dem Gefühl, daß sie noch die Fähigkeit und das Recht haben, ihr Amt auszuüben und Entscheidungen zu treffen.

Wenn Protestieren und Prozessieren überhaupt einen Wert haben, dann wahrscheinlich den, daß die Eltern auf diese Weise wieder den Glauben an ihre Macht zurückgewinnen. Manche leidtragenden Eltern gehen diesen Weg, aber es sind wenige.

Die meisten von uns versuchen auf andere Weise, ihr Selbstgefühl zurückzuerlangen. Wir versuchen uns durchzukämpfen, indem wir ein neues Leben für uns aufbauen. Dem einen gelingt es vielleicht, in Beruf oder Haushalt neue Kreativität zu entwickeln. Der andere stürzt sich voller Eifer auf ein anspruchsvolles, ihn ganz forderndes Hobby. Es ist für uns nach einem derartigen Verlust ungemein wichtig, daß wir die Bestätigung unseres eigenen Wertes erneut erfahren.

Es kann sein, daß wir, wenn uns jetzt etwas gelingt, vielleicht eine tiefere Befriedigung empfinden als Leute, die nie ein Kind verloren haben. Wenn man einmal am Rande seiner Existenz gewesen ist, ist es ein unvergleichlich schönes, fast berauschendes Gefühl, etwas schöpferisch zu gestalten, etwas ins Leben zu rufen, neue Dinge zu lernen, Neues zu bauen. Vermutlich ist diese Erfahrung deswegen so unsagbar wohltuend, weil unser Weg dorthin so unendlich lang und beschwerlich ist und weil wir einst beim Tod unseres Kindes glaubten, für uns sei alles aus.

Der Ehepartner

> Betrüge dich nicht selbst und erwarte nicht
> zu großes Glück im ehelichen Stande.
>
> Thomas Fuller

Menschen, die nie ein Kind verloren haben, finden es oft unbegreiflich, daß sich über die Ehe hinterbliebener Eltern eine eigenartige Atmosphäre der Entfremdung legt.

»Schließlich haben doch beide miteinander eine harte Schule durchgemacht«, würde ein Außenstehender wohl sagen. »Sie haben so vieles gemeinsam. Sie haben ihren Kummer miteinander geteilt. Nach diesem schweren Erleben werden sie sich wahrscheinlich nie mehr streiten.«

Ja, so mag sich das von außen her ansehen, aber in Wirklichkeit nehmen die Dinge oft einen anderen Verlauf. Die beiden haben zwar Erschütterung, Unheil und Leid gemeinsam erlebt, aber aus solchen Erfahrungen erwächst nicht notwendigerweise eine engere Bindung. Im Gegenteil, mehreren Untersuchungen ist zu entnehmen, daß sich schätzungsweise neunzig Prozent dieser Ehepaare innerhalb weniger Monate nach dem Tod ihres Kindes in ernstlichen Eheschwierigkeiten befinden.

Natürlich läßt sich die Frage, warum das so ist, nicht generell beantworten, denn jede einzelne Ehe ist eine Einheit eigener Art. Dennoch haben die erwähnten Untersuchungen gezeigt, daß bestimmte Probleme, mit denen sich die Eltern toter Kinder konfrontiert sehen, trotz der Verschiedenheit der Fälle gewisse strukturelle Ähnlichkeiten aufweisen. Auch geht aus diesen Studien hervor, daß gemeinsames Leid nicht unbedingt der bestmögliche Kitt für eine Ehe ist.

Der Hauptgrund hierfür ist wohl die Idealvorstellung von Ehe, die unter den Leuten so verbreitet ist. In unserer Kultur lernt man, daß sich bei der Eheschließung zwei Menschen miteinander verbinden und eins werden. In vieler Hinsicht mag das auch zutreffen. Aber beim Tod eines Kindes zerbricht dieses Ideal.

Plötzlich und schrecklich fällt die nackte Wahrheit über dieses Paar her, über diese zwei, die eins geworden sind. Auf einmal sind es wieder zwei. Jeder von ihnen muß seinen Schmerz selbst tragen, und der Partner kann ihm das nicht abnehmen. Auch kann der Partner ihn nicht davor bewahren. Das Paar, das so oft gemeinsam gelacht, Ferienreisen unternommen oder unangenehme Erfahrungen miteinander geteilt hat, muß nun, da es die größte Tragödie seines Lebens durchmacht und sich in der tiefsten Verzweiflung findet, entdecken, daß jeder von beiden ein einzelner Mensch ist. Sie müssen als einzelne trauern. Jeder für sich.

In einem ihrer Bücher schreibt Anne Morrow Lindbergh: »Trauer läßt sich nicht teilen. Jeder trägt sie allein, als seine eigene Last, auf seine eigene Weise.«

Sie hat recht. Aber diese Erkenntnis kann für ein Ehepaar, das sein Kind begraben mußte, niederschmetternd sein. Schließlich haben beide insgeheim geglaubt, sie könnten sich in ihrer Trauer gegenseitig stützen. Aber man kann sich nicht auf einen Menschen stützen, der selbst von einer schweren Bürde niedergedrückt wird.

Also findet sich jeder der beiden auf sich selbst gestellt – ausgerechnet jetzt! Wir hatten in der Erwartung gelebt, daß wir alle nur erdenkliche Hilfe von unserem Partner bekämen, und nun entdecken wir, daß er so ungefähr der letzte Mensch ist, der uns irgendeinen Beistand leisten kann. Gesellschaftliche Konvention hat uns einreden wollen, wir seien nun ein leidtragendes Paar. Statt dessen aber sind wir zwei trauernde Hinterbliebene geworden.

Diese Erkenntnis war für mich so unerhört, daß mir durch sie gleichsam der Boden unter den Füßen weggezogen wurde. Beinahe wäre meine Ehe hieran gescheitert.

Solange Robby am Leben war und wir von einer Krise zur nächsten wanderten, war es uns gut gelungen, einander zu trösten, zu stärken und aufzurichten. Ich bin fest davon überzeugt, daß es keinen anderen Menschen gibt, mit dem ich die zahllosen Beunruhigungen und die immer wiederkehrenden Todesvorhersagen hätte durchstehen können. Mein Mann sagt dasselbe.

Aber als Robby dann gestorben war, fanden wir uns plötzlich in einer völlig veränderten Lage. Jede Möglichkeit, zuversichtlich in die Zukunft zu schauen, war uns genommen. Wir konnten einander nicht mehr damit trösten, daß vielleicht doch noch alles gut werden würde.

Stumpf und hoffnungslos waren wir zurückgeblieben. Die entsetzliche Leere, die der Tod hinterläßt, hatte uns in der Gewalt – und dies, obwohl wir noch zwei andere reizende Kinder hatten; nicht einmal sie konnten uns genügen.

Im Rückblick berührt es mich eigenartig, daß gerade aus unserer wechselseitigen Fürsorge so große Probleme für uns entstanden. Jeder von uns beiden hatte bald begriffen, daß es nicht gut tat, wenn wir uns gegenseitig unser Herz ausschütteten; der eine übte damit auf den anderen nur eine destruktive Wirkung aus. Gewiß wollte keiner von uns dem Partner noch mehr weh tun. Es gab Zeiten, in denen ich einen »guten« Tag hatte, und dann empfand ich Unwillen darüber, daß ich wieder in die Trauer zurückgezogen werden sollte. Meinem Mann ging es ebenso.

Dieses eigenartige Wechselspiel von Rücksichtnahme und Unwillen ließ eine Spannung in unserer Beziehung entstehen, die neben anderem dazu führte, daß wir uns für kurze Zeit trennten und eine psycho-therapeutische Behandlung in Anspruch nahmen. Wir gewannen beide aus dieser Erfahrung die Erkenntnis, daß wir unsere Ehe weiterführen wollten, daß wir aber lernen mußten, hinsichtlich unserer gegenseitigen Erwartungen gegenüber dem Partner realistischer zu werden. Ich durfte von ihm nicht erwarten, daß er wie ein Fels in der Brandung ruhte, wo doch seine Trauer ebenso groß wie die meinige war. Er wiederum konnte von mir nicht verlangen, daß ich mich in seiner Gegenwart zusammennahm und meinen Schmerz vor ihm verbarg, auch wenn er dadurch selbst wieder mit hineingezogen wurde.

Wir lösten das Problem dadurch, daß wir verabredeten, für bestimmte Zeiten unseren Gefühlen freien Lauf zu lassen. Auch empfahl mir unser psychologischer Berater, nicht immer nur bei meinem Mann Trost zu suchen, sondern mich auch gelegentlich der einen oder anderen mir nahestehenden Freundin anzuvertrauen. Schließlich braucht man ja in einer solchen Situation nichts anderes als einen Menschen, der verständnisvoll zuhört. Der Betreffende muß gar nichts Konkretes tun oder sagen. Und es muß nicht unbedingt dein Ehepartner sein, wenn dieser dein Weinen nicht ertragen kann. Dein Kind ist tot – keine Macht der Welt kann das ändern. Es ist im Grunde völlig gleich, *wer* dir zuhört, wenn er nur wirklich Anteil nimmt.

Eigenartigerweise blieb bei uns ein bestimmtes Problem aus, das sonst bei vielen leidtragenden Eltern auftritt. Keiner von uns beiden lehnte es ab, überhaupt noch von Robby zu sprechen. Ich habe mir sagen lassen, daß das höchst ungewöhnlich ist.

Die Psychologen berichten, daß es in vielen Familien eine Streitfrage ist, ob man sich über das tote Kind unterhalten soll oder nicht. Häufig, wenn auch nicht immer, scheint es eher der Vater zu sein, der derartigen Gesprächen ausweichen will. Die Gründe dafür, daß vor allem Männer so reagieren, sind komplex, so komplex wie die Art und Weise, in der Väter oft ihre Trauer unterdrücken oder verdrängen. Immer noch, wenn auch in allmählich schwindendem Maße, richten sie sich nach dem ungeschriebenen Gesetz gesellschaftlicher Konvention, demzufolge ein vom Unglück heimgesuchter Mann in stoischem Schweigen sein Leid zu tragen hat.

Gleich zu Anfang verabredeten wir, nach wie vor über Robby zu sprechen. Er hatte ja wirklich gelebt. Wenn wir es jetzt vermieden hätten, an ihn zu denken, uns über ihn zu unterhalten, uns an seine Vorlieben und Abneigungen, an seinen Charakter oder seinen Humor zu erinnern, dann hätten wir ihn sozusagen ein zweites Mal sterben lassen. Und das wollten wir einfach nicht. Mit unseren Gesprächen über den lebendigen Robby taten wir einander nicht weh. Nur der tote Robby suchte uns heim.

Allerdings gibt es Elternpaare, die in diesem Punkt weniger Glück haben. Gewöhnlich ist der eine Partner der Ansicht, er könne es nicht ertragen, daß über das tote Kind geredet wird. Versucht der andere es doch, dann gibt es Ärger, Streit und zugeschlagene Türen – eben alles, was ein Gespräch verhindern kann.

Es kommt hier, wie in allen Dingen, auf das rechte Maß an. Aber es ist nötig, daß wir von unserem toten Kind reden. Wir sind in Trauer. Wer sich irgendwo im Meer befindet, kann dem Wasser nicht ausweichen. Wer im Schmerz über den Tod seines Kindes lebt, kann dem Gespräch über den Toten nicht ausweichen!

Du solltest an dein Kind denken. Du kannst es nicht irgendwo in einem Winkel deines Herzens begraben und es für immer vom Tageslicht fernhalten. Es hat ihn einst gegeben. Sie hat einst gelebt. Das Verkehrteste, was Eltern – oder ein Ehepartner – tun können, ist, die Erinnerung daran zu unterdrücken, so als wäre er, als wäre sie nie dagewesen.

Natürlich kann auch das entgegengesetzte Verhalten gleicherweise destruktiv sein. Es kommt eine Zeit, in der es nötig ist, daß du dich mit deinem Leid in Zucht nimmst. Daß du dich selbst beherrschst. Daß du aufhörst, ununterbrochen zu weinen. Du kannst sonst nicht nur deinem Ehepartner oder deinen am Leben gebliebenen Kindern unendlichen Schmerz zufügen, du würdest dir auf die Dauer auch jeden anderen Menschen, der zu deinem Leben gehört, entfremden.

Wenn du in dieser Grundfrage der Trauerarbeit mit deinem Ehepartner verschiedener Meinung bist, dann versuch, dich mit ihm zu einigen. Ihr könnt zum Beispiel an jedem Tag eine Zeit bestimmen, während der der eine Partner über das tote Kind reden darf, ohne daß der andere abwehrend reagiert. Vielleicht kommt auch der andere nach einer Weile dahin, daß er selbst reden kann. Und trauern kann. Aber denk dran, wenn die Zeit um ist, daß du dich eisern dazu zwingen mußt, das Thema zu verlassen. Es ist möglich.

Wenn es dir nicht gelingt, mit dem anderen eine angemessene Übereinkunft zu erreichen, dann suche unter allen Umständen Hilfe von außen. Du mußt lernen zu reden. Reden lernen ist eine wichtige Voraussetzung dafür, daß deine Ehe durch die verschiedenen Phasen der Trauer hindurch intakt bleiben kann.

Wenn es bei der Beerdigung bestimmte Dinge gegeben hat, die nach deinem Empfinden unpassend oder falsch waren – selbst wenn dein Ehegatte dafür verantwortlich war, friß deinen Ärger nicht in dich hinein. Sprich darüber. Aber behutsam. Erkläre ihm, daß sie *deiner* Meinung nach falsch waren.

Leg die Sache in aller Offenheit dar und zermürbe dich nicht im stillen damit. Im Lauf der Zeit verliert sich der Eindruck, den die Beerdigung auf dich gemacht hat, und was dabei vor sich gegangen ist, hat längst nicht mehr so viel Bedeutung für dich – vorausgesetzt, es ist kein heimlicher Ärger in dir zurückgeblieben.

Es gibt Bereiche des Gesprächs und der Kommunikation miteinander, die am besten unberührt vom Einfluß einer dritten Seite bleiben. Ich habe aber auch ein Beispiel dafür erlebt, wie eine Ehesituation, die auf einen völligen Zusammenbruch hinauszulaufen schien, im Verlauf einer Diskussion innerhalb einer Gruppe von leidtragenden Eltern völlig angemessen und hilfreich behandelt wurde.

Es handelte sich um ein älteres Ehepaar, dessen verheiratete Tochter gestorben war. Der Schwiegersohn hatte vor kurzem wieder geheiratet und verwehrte nun den Schwiegereltern, ihre Enkel zu sehen. Die beiden baten um Rat, wie sie sich verhalten sollten. Sie schoben sich gegenseitig die Schuld an ihren Schwierigkeiten mit dem Schwiegersohn und damit auch die Schuld am Verlust der Enkel zu. Es war ein Glück für sie, daß sie ein Forum gefunden hatten, vor dem sie ihr Problem ausbreiten konnten. Ein großes Problem. Denn schließlich waren die Kinder das einzige, was ihnen von ihrer Tochter geblieben war.

Während sie ihre Situation schilderten, fielen sie einander ständig voller Schärfe ins Wort. Es sah so aus, als habe der Mann das Gefühl, daß seine Frau die neue Ehefrau des Schwiegersohns unfreundlich aufgenommen hatte. Seine Frau dagegen war überzeugt davon, daß ihr Mann den Schwiegersohn schlecht behandelt hatte. Der Ärger darüber, daß sie ihrer Enkel sozusagen beraubt waren, stand zwischen ihnen und war fast körperlich zu spüren. Aber sie brüteten diese negativen Gedanken nicht für sich allein aus – sie sprachen offen vor etwa dreißig leidtragenden Eltern darüber.

Man stellte ihnen Fragen:

»Haben Sie sich vorher mit Ihrem Schwiegersohn verstanden?«

»Haben Sie sich bemüht, besonders nett zu ihr zu sein?«

»Haben Sie den Versuch gemacht, Ihren Enkeln einzureden,

ihre eigene Mutter sei lieber oder hübscher oder freundlicher gewesen?«

Die Großeltern antworteten aufrichtig. Von gegenseitigen Vorwürfen war jetzt nichts mehr zu spüren. Die anderen versuchten, ihnen zu raten. Eine Frau, deren verheirateter Sohn gestorben war, bot sich an, direkten Kontakt mit dem Schwiegersohn aufzunehmen und ihn zu fragen, was eigentlich los sei.

Neben diesem konkreten Hilfsangebot, das von den beiden dankbar angenommen wurde, hatte dieses Rundgespräch noch ein weiteres Gutes. Es entschärfte eine spannungsgeladene Situation. Jeder der zwei hatte nämlich insgeheim jeweils den anderen dafür verantwortlich gemacht, daß er über den Tod der Tochter hinaus noch einen weiteren herben Verlust erlitten hatte. Beide hatten Angst davor, auch das zu verlieren, was noch von der Tochter geblieben war, beide klammerten sich verzweifelt an dieses letzte – die Enkel –, und bei alledem hegten sie ziemlich schlimme Gedanken über den Ehepartner.

»Sie verhält sich falsch gegenüber seiner neuen Frau. Sie gibt sich keine Mühe, ihr entgegenzukommen. Meine Frau ist dran schuld«, mag der Ehemann gedacht haben.

»Er ist plötzlich so anders gegenüber unserem Schwiegersohn. Er benimmt sich fast ungehörig. Früher haben sie immer zusammen gebastelt oder gebaut. Und jetzt – nichts mehr davon. Mein Mann ist schuld«, so etwa wird es der leidtragenden Mutter durch den Sinn gegangen sein.

Aber jetzt, in der Gruppe, werden ihnen Fragen gestellt. Sie zielen zwar recht direkt auf ihre beiderseitigen Beziehungen, werden aber dennoch sehr behutsam gestellt, und zwar von Leuten, die nichts anderes wollen, als diesen beiden gequälten Menschen zu helfen.

Dieses Gespräch im Beisein von Fremden, die keinerlei Anklage oder Vorwurf erhoben, löste die Spannung, die so oft entsteht, wenn irgend jemand meint, er müsse sich verteidigen. Niemand zeigte mit dem Finger auf einen anderen. Auch wurden die beiden durch die Gruppenatmosphäre gezwungen, auf die Gedanken anderer einzugehen.

Selten bricht bei derartigen Diskussionen offene Animosität zwischen Mann und Frau aus. Statt dessen wird ein Elternpaar durch das Dabeisein anderer – mitfühlender – Menschen dazu veranlaßt, seinen wechselseitigen Ärger zu zügeln und jede nur erdenkliche Hilfe von außen anzunehmen. Sicher kommt es vor, daß auf derartigen Gruppensitzungen auch geweint wird. Aber offene Auseinandersetzungen zwischen den Ehegatten oder auch der Austausch verletzender Anschuldigungen sind selten. Die beiden werden durch ihre gute Erziehung daran gehindert. Das ist auch gut so. Denn wenn zwei Leute sich nicht lauthals anschreien, dann sind sie vielleicht fähig, von dritter Seite etwas Konstruktives zu hören und auch anzunehmen.

Dr. Elliot Luby, der Leiter der psychiatrischen Abteilung der Lafayette-Klinik in Detroit, hat eine Untersuchung über das Verhalten und die Probleme leidtragender Eltern durchgeführt. Dabei entdeckte er mehrere Gründe für das häufige Scheitern solcher Ehen.

Ein Hauptproblem liegt seiner Meinung nach darin, daß viele Eltern einfach nicht begreifen, wieso ihr Kind hat sterben können, und daß sie deswegen zum Schlagabtausch mit dem Ehepartner übergehen. Manchmal machen sie ihn sogar für den Tod des Kindes verantwortlich.

»Warum hast du nicht besser aufgepaßt?«

»Warum hast du ihr den Wagen gegeben? Warum erlaubt, daß sie sich mit dem Jungen trifft?«

»Warum hast du nicht den Arzt kommen lassen?«

Derartige Vorwürfe mögen uns lächerlich vorkommen. Schließlich laufen sie darauf hinaus, daß ein Ehepartner den anderen – und zwar gerade in einer Situation, in der er besonders verletzlich und empfindlich ist – des Mordes an dem gemeinsamen Kind bezichtigt. Aber bereits die bloße Anspielung kann bei dem trauernden Ehegatten dazu führen, daß er sich tatsächlich für den Tod des Kindes verantwortlich fühlt. Denn wenn er sich vielleicht schon sowieso insgeheim damit herumschlägt, ob er seine Pflicht getan und seine Verantwortung genügend wahrgenommen hat, dann kann es sein, daß sich jetzt auf Grund des Vorwurfs seines Partners eine Frage in ihm festsetzt, mit der er ein Leben lang nicht fertig wird.

Der Grund dafür, daß der eine so vorwurfsvoll seinen Zeigefinger hebt, liegt darin, daß er sich so verzweifelt danach sehnt, daß er eine Antwort auf sein »Warum?« bekommt. Aber solange diese Welt besteht, ist diese Frage unbeantwortet geblieben.

Wenn du auch nur die leiseste Neigung verspürst, deinem Ehepartner die Schuld zuzuschieben, oder wenn du dich selbst für den Tod deines Kindes verantwortlich fühlst, dann nimm sofort psychiatrische Hilfe für dich selbst und für deine Frau in Anspruch. Denn wenn sich ein solcher Vorwurf erst einmal festgesetzt hat, dann ist die Ehe fast immer unrettbar verloren, es sei denn, es wird unmittelbar von dritter Seite eingegriffen.

Wenn zum Beispiel ein Vater davon »überzeugt« ist, daß seine Frau für den Tod seines geliebten Sohnes verantwortlich ist, dann ist der Gedanke an die Aufrechterhaltung einer erfüllten, glücklichen Ehe einfach lachhaft. Wenn hier nicht Hilfe gesucht und das Problem nicht gelöst wird, dann ist es sowohl für den Partner, den der Vorwurf trifft, als auch für den anderen, der ihn erhebt, mit jeder Hoffnung auf ein sinnvolles Leben vorbei.

Ich denke in diesem Zusammenhang an eines der unglücklichsten Paare, dem ich je begegnet bin. Vor zwanzig Jahren war das kleine Kind der beiden ums Leben gekommen. Es war in ein Auto gelaufen und auf der Stelle getötet worden. Der Ehemann, von Anfang an ein überfürsorglicher Vater, konnte es nicht lassen, seiner Frau vorzuwerfen, sie habe zu wenig auf den kleinen Buben aufgepaßt. So kam es schnell dazu, daß sich die Mutter für den Tod des Kindes tatsächlich verantwortlich fühlte, sich als Mörderin fühlte. Da das Kind tot war, hatte sie sowieso überhaupt nichts zu ihrer Verteidigung vorzubringen.

Die Frau, die als Mutter ziemlich großzügig war, hatte das Kind draußen gelassen, während sie kurz ins Haus gegangen war, um einen Topf vom Herd zu nehmen. Als sie wieder hinauskam, war ihr Sohn tot.

Schon vor der Tragödie war sich das Paar über die Beaufsichtigung des Kindes nicht einig gewesen. Während sie meinte, man könnte auch zu viel auf ein Kind aufpassen, meinte er, man könnte gar nicht vorsichtig genug sein. Nun, hinterher, schien diese Streitfrage natürlich entschieden. Das Kind war tot. Also hatte sie unrecht gehabt.

Die beiden ließen sich nicht scheiden. Sie leben zusammen,

aber es ist schlimmer als ein Alptraum, es ist die Hölle. Er: voller Haß und körperlich krank. Sie: gemütskrank. O nein, nicht so krank, daß sie in eine Anstalt gemußt hätte. Sie kann immer noch kochen und putzen. Aber doch krank genug, um sich völlig von der menschlichen Gesellschaft und auch von ihren anderen, am Leben gebliebenen Kindern zurückzuziehen.

Jetzt sind beide alt. Über ihren Sohn oder seinen Tod oder irgend etwas, was damit zusammenhängt, sprechen sie nicht miteinander. Aber über ihnen und ihrem Heim liegt die erstickende Atmosphäre von Anklage und Schuldgefühl.

Eine weitere Gefahr für die Ehe leidtragender Eltern scheint das Gefühl zu sein, daß ihre Verbindung unter einem unglücklichen Stern steht und daß ihr auch künftig nur Unheil und Verderben drohen.

Die betreffenden Eltern sehen sich so ungefähr in der Lage jenes achtzigjährigen Paares, das nach sechzig Jahren Ehe die Scheidung begehrte.

»Und warum«, fragte leicht amüsiert der Richter, »wollen Sie denn nach so vielen Jahren an so etwas denken?«

Die Ehefrau, auf ihren Stock gestützt, stand vor ihm und entgegnete: »Genug ist genug!«

Wenn zwei Menschen das Gefühl haben, daß alles nur immer schlechter, aber nie mehr besser werden kann – welche Hoffnung bleibt ihnen dann noch für ein gemeinsames Leben? Im Grunde leben sie genau wie dieses achtzigjährige Paar. Solche Eltern haben es dringend nötig, daß ihnen von dritter Seite – entweder von Freunden oder von berufsmäßigen Beratern – wieder zu logischem Denken verholfen wird. Wenn diese Einwirkung von außen ausbleibt, bringen es solche Paare fertig, sich gegenseitig davon zu überzeugen – wirklich zu überzeugen! –, daß sie nichts anderes mehr zu erwarten haben als Unglück. Alle guten und alle schönen Dinge werden für sie immer unerreichbar sein.

Leute, die entsprechend ausgebildet sind, oder Leute, die zumindest ein Fünkchen gesunden Menschenverstandes besitzen, können einem solchen Paar helfen, von derartigen Fehlhaltungen loszukommen. Manchmal können auch andere leidtragende Eltern hier beratend einspringen.

Wenn dann alles Nötige gesagt und getan ist, kann es eigentlich für leidtragende Eltern nichts Wünschenswerteres geben, als die eigene Ehe zu retten und ihr wieder festen Grund zu geben. Schließlich gibt es ja auf der ganzen Welt keinen anderen Menschen, der besser verstehen könnte, wie tief dieser Verlust schmerzt; denn er selbst hat ihn auch erfahren. Natürlich reicht diese gemeinsame Erfahrung nicht aus, um darauf eine bessere Ehe zu gründen. Aber immerhin ist sie etwas, das beide teilen und das keiner weiteren Erklärungen bedarf.

So können mein Mann und ich etwa ein Lied hören, uns an einem Anblick freuen, einem Freund begegnen und uns dabei wissend anschauen, weil diese Dinge irgendwie in jedem von uns eine Erinnerung an Robby zum Klingen bringen. Es ist eine wechselseitige, wortlose Erfahrung. Es ist etwas Besonderes, etwas, das man nicht achtlos fortwerfen darf, bevor man nicht alle Wege zur Rettung der eigenen Ehe erkundet hat. Denn wohlgemerkt, ein Paar, das eine wortlose Erfahrung teilen kann – auch wenn sie schmerzlich ist –, kann eigentlich nicht unglücklich genannt werden; keiner von beiden ist ja allein!

Obwohl es sich hier um eine Kommunikation ganz besonderer Art handelt, reicht sie dennoch vielen Ehepartnern nicht aus. Der außergewöhnliche Druck, unter dem sie stehen, reibt sie auf. Sie lassen sich scheiden. Tragischerweise gehen viele leidtragende Eltern diesen Weg. Eigenartigerweise ist es trotzdem möglich, daß sie sich auch nach der Scheidung noch gegenseitig aufrichten und stärken können. In manchen Fällen ist die Bitterkeit zwischen Mann und Frau so groß, daß jede Gemeinsamkeit zerstört wird – auch der gemeinsame Schmerz. In anderen Fällen jedoch kann die Bitterkeit, die zur Scheidung geführt hat, sich lösen, sobald die Ehe aufgelöst ist. Und dann können die beiden in ihrer Trauer einander eher helfen, weil sie nicht mehr durch das eheliche Band aneinander gefesselt sind.

Ich denke zum Beispiel an ein Paar, das sich scheiden ließ. Beide haben inzwischen wieder geheiratet, und jeder hat große Schwierigkeiten in seiner zweiten Ehe. Die Frau ist im Grunde immer noch eine geschiedene leidtragende Mutter, die es ihrem neuen Ehemann übelnimmt, »daß er einfach nicht verstehen kann, wie es mir zumute ist«. Sie wird – ebenso wie ihr geschiedener Ehemann – lernen müssen, daß ihre zweite Ehe nur funktionieren kann, wenn sie den Schmerz über den Verlust ihres Kindes aus erster Ehe bewältigt hat. Ich kann nur dringend empfehlen, bei derartigen Schwierigkeiten unbedingt eine Beratung in Anspruch zu nehmen. Die Macht des Todes darf einer solchen leidtragenden Mutter nicht auch noch ihre zweite Ehe zerstören.

Für manche Eltern ist die Trauerarbeit, die sie zu leisten haben, nicht einmal das einzige Problem. Finanzielle Schwierigkeiten kommen hinzu. Plötzlich sehen sie sich mit riesengroßen Arzt- oder Krankenhausrechnungen für die letzte Krankheit ihres Kindes konfrontiert – Rechnungen, die sie vielleicht ein Leben lang nicht bezahlen können. Gläubiger liegen ihnen in den Ohren. Häufig haben sie Schulden bei Freunden und Angehörigen. Sie können sich keine neuen Kleider mehr kaufen, weil ihr Geld gerade nur für das Essen reicht, und für einen »Luxus«, wie etwa einen Kinobesuch, bleibt fast überhaupt nichts übrig. Dabei könnten sie gerade dadurch vielleicht ein klein wenig von ihrer Trauer abgelenkt werden. Es ist nicht verwunderlich, daß solche Leute ihre Zukunft nur in den düstersten Farben sehen können.

Einen Fabrikarbeiter, der bis dahin stolz darauf gewesen war, daß er an keinem einzigen Arbeitstag seines Berufslebens gefehlt hatte, brachten die aus Krankheit und Beerdigung seines Kindes für ihn entstehenden Kosten fast um den Verstand. Die nie abreißende Folge von Telephonanrufen unwilliger Gläubiger wurde ihm schließlich zu viel. Er gab seine Arbeit auf und verließ seine Familie. Seit Monaten haben ihn seine Angehörigen nicht mehr gesehen. Die Telephonanrufe gehen natürlich weiter. Nur muß seine Frau nun die ganze Last allein tragen.

Finanzielle Probleme sind in unserer Gesellschaft häufig schon schwierig genug. Aber Eltern, die ein Kind haben beerdigen müssen und nun zusehen sollen, wie sie fertig werden, werden in vielen Fällen durch sie an den Rand ihrer Kraft gebracht. Oft scheint alles unlösbar zu sein.

Als Robby geboren wurde – zwei Monate zu früh –, hatten wir für ihn natürlich keinerlei Krankenhausversicherung. Fast drei Monate wurde er auf der Intensivstation behandelt, und die Kosten für diese Spezialbehandlung stiegen von Tag zu Tag in geradezu astronomische Höhe. Als wir ihn endlich nach Hause nehmen durften, lagen uns Arzt- und Krankenhausrechnungen über nahezu zehntausend Dollar vor! Beide waren wir noch jung – in den Zwanzigern – und nun also auf Jahre hinaus mit der Abzahlung unserer Schulden belastet. Solange Robby lebte, kamen ständig neue Rechnungen für ihn hinzu. Zeitweise steckten wir derart tief in Schulden, daß es so aussah, als sei an ein Durchkommen überhaupt nicht mehr zu denken. Für die Bewältigung unserer Trauer war das alles nicht gerade sonderlich hilfreich. Als wir nicht mehr weiter wußten, gingen wir schließlich zu einem Finanzierungsberater. Er arbeitete für uns einen Ratenzahlungsplan aus, mit dem wir leben konnten. Er rief auch unsere Gläubiger an, legte ihnen unseren Fall dar und sorgte dafür, daß die zermürbenden telephonischen Mahnungen aufhörten.

Es gibt andere Leute, die ehrlich bemüht sind, ihre Schulden abzuzahlen, und denen dennoch am Ende nichts anderes übrig bleibt, als ihren Bankrott zu erklären oder bei den Gläubigern eine Schuldermäßigung durchzusetzen.

Wenn zwei Eheleute in jenes finanzielle Chaos geraten, das allein schon durch riesengroße Arztrechnungen herbeigeführt werden kann, dann müssen sie sich unbedingt sachverständig beraten lassen. Denn wenn keiner da ist, der einen Überblick über die gesamte Finanzlage hat, dann bist du bald nur noch damit beschäftigt, sozusagen mit dem bloßen Finger alle möglichen Löcher in einem brüchigen Damm zuzustopfen. Ohne Vernunft und Logik wirst du dann demjenigen zahlen, der am häufigsten anruft und am lautesten schreit. Und dann bekommst du natürlich erboste Briefe und Telephonanrufe von einem anderen, der den ersten in der Rolle des wütendsten Gläubigers abgelöst hat.

Wenn du hart arbeitest, kann es dir gelingen, allen finanziellen Verpflichtungen tatsächlich nachzukommen. Es mag Jahre brauchen, aber mit Hilfe eines Eheberaters, Finanzsachverständigen, Rechtsanwaltes oder eines in Gelddingen erfahrenen Freundes ist es zu schaffen. Wenn du in derartigen Schwierigkeiten steckst, such dir also Hilfe.

Eine weitere Quelle möglicher Krisen für die Ehe leidtragender Eltern ist der Umstand, daß in manchen Fällen einer der Partner außerehelichen Trost sucht. Er setzt den Fuß in ein Traumleben und entflieht in eine Welt, die von der Tragödie der Realität nichts weiß.

Eine Frau zum Beispiel litt entsetzlich, nachdem ihre Tochter gestorben war. Zu Hause kam sie nicht zur Ruhe, denn immer, wenn sie versuchte, über ihren Schmerz zu sprechen, reagierte ihr Mann darauf mit Ärger und Ablehnung. Desgleichen packte sie der Zorn, wenn er sich einmal seinem Kummer überlassen wollte. Die beiden hatten keine weiteren Kinder. Schließlich war die Frau so verzweifelt, daß sie sich eine Arbeit suchte und sich in ein Verhältnis mit einem Kollegen einließ. Sie hatte das Gefühl, daß diese Beziehung sozusagen frisch und rein und nicht von tragischem Geschick überschattet war. Jedenfalls schien es ihr so.

Später aber gab sie zu, daß sie sich von allen möglichen Lösungen ihres Problems wohl die schlechteste ausgesucht hatte. Denn jetzt lastete nicht mehr nur ein schweres, dunkles Schicksal auf ihr und ihrem Mann. Jetzt mußte sie zusätzlich noch andere Qualen leiden: die Qualen eines schlechten Gewissens.

Ihre Situation wurde so unerträglich, daß sie zum Psychiater ging. Zuerst ging sie allein, und zwar so lange, bis sie das Problem ihres außerehelichen Verhältnisses durchgearbeitet und die Beziehung gelöst hatte. Sie wollte ihren Mann nicht noch mehr belasten, indem sie ihm von ihrer Untreue erzählte. Als sie die Geschichte zumindest so weit bewältigt hatte, daß sie damit leben konnte, bestand sie darauf, daß ihr Mann künftig mit zum Psychiater ging. Er willigte ein, und die beiden haben allmählich angefangen, wieder ein gemeinsames Leben aufzubauen. Dieser neue Anfang hat ihrer Ehe gutgetan und ihnen neuen Mut gegeben.

Geh behutsam mit dir selbst um. Bring nicht noch mehr Leid über dich, mach dir nicht selbst noch mehr Kummer. Denn gerade dein Bedarf an Dingen, die du bedauern oder über die du dich grämen mußt, ist gedeckt.

Im Gegenteil, du brauchst dringend solche Dinge, die dein Leben heller und schöner machen – nichts Großes vielleicht, aber doch etwas, das deine Last erleichtert und Licht und Luft in dein von den Mauern der Trübsal eingeschlossenes Heim bringt. Es gibt ein Sprichwort aus dem Süden. Du könntest es in dieser für dich so überaus wichtigen Zeit als eine Art Rezept für den Umgang mit den erfreulichen Dingen des Lebens betrachten und entsprechend verfahren. Es lautet: »Laß dir den Genuß der Wassermelone nicht durch die Kerne verderben. Spuck sie aus!«

Das ist nicht immer leicht, aber es ist unbedingt nötig. Es hat überhaupt keinen Sinn, wenn du gerade jetzt auf manches Schöne verzichtest, das du in deiner Ehe gemeinsam mit deinem Partner erleben könntest – ich denke an Sex, an Teilnahme am gesellschaftlichen Leben und anderes. Freude an schönen Erfahrungen kann uns bei der Bewältigung unserer Trauer nur helfen, und danach sehnen wir uns doch im Grunde.

Du mußt dir darüber klar sein, daß Entspannung lebensnotwendig ist. Wirklich, das ist sie. Du darfst nicht weiter allein mit deinem Partner wie in einer Wüste leben, ohne daß ihr euch irgendeine Freude gönnt.

Es kommt des öfteren vor, daß sich die Ehefrau jeglichem Geschlechtsverkehr entzieht, weil ihr schon der Gedanke daran verwerflich erscheint. Eine Frau, die inzwischen geschieden ist, hat es ihrem früheren Ehemann bis heute nicht vergeben, daß er schon in der ersten Woche nach dem Tod ihrer Tochter den Geschlechtsverkehr suchte.

»Wie konnte er nur so hemmungslos seine eigene Befriedigung suchen, obwohl unser kleines Mädchen doch gerade erst gestorben war?« fragte sie empört.

Ihr Mann hat es inzwischen satt, sich behandeln zu lassen, als sei er ein lüsterner Kerl ohne jedes Feingefühl. Er hat es aufgegeben, seiner Frau immer wieder zu erklären, daß Sex für ihn Entspannung und eine Art Selbsterneuerung bedeutet.

»Die Kluft zwischen uns ist so tief, daß sie nie mehr überbrückt werden kann«, sagt er. »Ich weiß, daß sie mit einem anderen Mann noch Freude am Sex haben kann, aber nie mehr mit dem Vater ihres toten Kindes.«

Einem anderen Paar dagegen ist es gelungen, dieses bei so vielen Leuten auftretende heikle Problem zu bewältigen. Die beiden sind stolz darauf, daß sie das ohne Hilfe von außen geschafft haben. Sie sagen, daß sie sich natürlich notfalls an eine dritte Seite um Rat gewendet hätten. Aber nun haben sie allein ihren eigenen Weg gefunden, und sie glauben, daß das ihrer Ehe nur gutgetan und sie um eine positive Dimension bereichert hat.

Nachdem ihr Kind an Krebs gestorben war, erstarrte die Frau innerlich. Es ging bei ihr nicht einfach um die Frage, ob sie sich noch an einem schönen sexuellen Erlebnis freuen konnte oder nicht. Die Sache reichte viel tiefer. Die Frau war davon überzeugt, daß es nur dem Geschlechtstrieb zu verdanken war, daß ihr kleiner Bub einst das Licht der Welt erblickt hatte. Daß im Grunde an allen Qualen, die sie nun in ihrer Trauer zu durchleiden hatten, der Geschlechtstrieb schuld war. Nein, sie hatte keine Angst vor einer zweiten Schwangerschaft. Sie wollte nur einfach nicht mehr dorthin zurück, wo alles angefangen hatte.

Wochen gingen dahin. Allmählich überkam Frustration den Ehemann. Als er am Ende seiner Geduld war, gab er seiner Frau schließlich in einem Zornesausbruch zu verstehen, entweder es gäbe Sex zwischen ihnen beiden, oder aber er ginge zu einer anderen Frau und erlebte ihn dort!

Sie sah, daß er es ernst meinte, und das wirkte auf sie, als hätte ihr jemand kaltes Wasser ins Gesicht geschüttet. Der Gedanke, daß ihr Mann außerhalb ihrer Ehe Geschlechtsverkehr suchen könnte, erschütterte sie zutiefst, und sie fing an zu weinen und erklärte ihm, sie könne das einfach nicht, denn sie sei nicht mehr fähig, körperlich zu reagieren.

Er nahm sie in die Arme und bat sie, es doch zu versuchen. Er sagte, er wisse wohl, daß ihr Kind tot sei, und er sei zutiefst davon getroffen. Aber er sei doch lebendig. Er habe Bedürfnisse. Er sagte, sie wollten langsam anfangen, ihr zerstörtes Geschlechtsleben wieder aufzubauen. Im Anfang erwarte er gar nichts von ihr. Sie solle nur dasein. Vielleicht käme doch eines Tages ihr Gefühl zurück. Er sei überzeugt davon – und es gelang ihm, auch sie davon zu überzeugen –, daß ihr Gefühl nie zurückkäme, wenn sie es nicht gemeinsam miteinander versuchten. Sie hätten hier die Chance, ihre Ehe zu retten, und sie müßten sie nutzen.

Scheu und ängstlich ging sie mit ihm ins Bett, und allmählich und in verschiedenen Phasen kehrte ihr Reaktionsvermögen zurück. Nach und nach überwand sie jene schreckliche Vorstellung, daß Sex abzulehnen sei, weil der Tod ihres Sohnes mit seiner Empfängnis begonnen hatte.

Die meisten Paare sind nicht so glücklich – oder nicht so gut aufeinander eingestimmt. Da aber der Geschlechtstrieb ein Grundtrieb des Menschen ist, muß das Problem der Verweigerung jeglicher geschlechtlicher Beziehung gelöst werden. Wenn dir das mit deinem Partner allein nicht gelingt, dann such eine Beratung auf und zögere nicht zu lange!

Bei vielen Paaren entstehen nach dem Tod eines Kindes Probleme hinsichtlich der Frage von Unterhaltung und Vergnügen. In den meisten Fällen meint der eine Partner – fast nie sind es beide! –, es dürfte für sie keine gemeinsame Freude mehr geben.

Ich denke in diesem Zusammenhang an ein junges Paar, dem diese Frage auch beinahe zum Verhängnis geworden wäre. Es war ein ganz besonderes junges Paar, in dessen Beziehung jenes gewisse Etwas zu spüren war, das das Miteinander von zwei Menschen so wunderbar und reizvoll machen kann.

Der kleine Sohn der beiden war im Alter von vier Monaten einem Grippeanfall erlegen. Der Ehemann, der Vertreter irgendeiner Firma war, ging frühmorgens aus dem Haus. Seine Frau brachte das einzige andere Kind, ein vierjähriges Mädchen, in den Kindergarten und verbrachte dann den Rest des Tages damit, in ihrer Wohnung auf und ab zu gehen – allein.

»Meine Frau weinte, wenn ich fortging, und weinte immer noch, wenn ich heimkam«, sagte er. »Ich war ja auch traurig. Aber ich hatte immerhin meine Arbeit. In meinem Büro gingen die Kunden ein und aus und hielten mich in Atem, und irgendwie stand ich den Tag durch.

Dann kam ich nach Hause. Da saß sie und weinte. Es war mir, als würde ich jeden Tag von neuem fast körperlich niedergedrückt und nach unten gezogen. Wenn ich ihr irgendeinen lustigen Vorfall aus dem Betrieb erzählte, sah sie mich groß an, als sei ich verrückt, weil ich einen normalen Tag verbringen konnte.

Ich fing an, mich vor dem Nach-Hause-Kommen zu fürchten. Eines Tages beschloß ich, der Sache ein Ende zu machen.

Ich war gerade mit meinem Wagen auf der Autobahn, und der Gedanke an Zuhause lag mir im Magen. Aber ich fuhr trotzdem weiter, und sobald ich da war, sagte ich ihr, sie sollte einen Babysitter suchen, wir gingen ins Kino. Ich bestand darauf. Es war das erste Mal seit drei Monaten, daß wir ausgingen. An einer lustigen Stelle beging ich den Fehler, laut aufzulachen. Sie sprang vom Sitz, lief durch den Gang nach draußen und empfing mich tränenüberströmt in der Vorhalle.«

Dem Ehemann war die Erinnerung an diesen Vorfall offenbar immer noch unangenehm. Er schlug erregt mit der einen Faust in die andere Hand, als er mir erzählte, wie sie da beide in der Vorhalle des Kinosaales gestanden und sich gegenseitig laut beschimpft hatten.

»Sie schrie mich an und fragte mich, wie ich es nur fertigbringen könnte, in aller Öffentlichkeit laut zu lachen. Ricky sei doch tot. Was denn nur los sei mit mir!

Also, ich war verlegen und auch wütend. Ich weiß nicht, welches von beidem schlimmer war. Ich hatte den Kleinen auch geliebt. Ich sagte ihr, es wäre überhaupt nichts dabei, wenn ich lachte oder einmal ausginge. Es wäre auch keine Mißachtung des Gedächtnisses unseres Sohnes, wenn wir uns an irgend etwas freuten. Und ich wies sie warnend darauf hin, daß ich sie verlassen würde, wenn sie keine Vernunft annähme. Ich hatte Angst, als ich das sagte, aber ich meinte es ernst. Ich konnte so einfach nicht mehr weitermachen.«

Während er das alles erzählte, saß seine Frau dabei, ihre Hand in der seinigen, und die Tränen liefen ihr übers Gesicht. Aber trotzdem spielte ein kleines Lächeln um ihren Mund.

»Er hatte ja völlig recht. Ich hatte mich einfach meinem Schmerz überlassen, anstatt zu versuchen, ihn zu bewältigen. Ich liebte meinen Mann, und seine Drohung, mich zu verlassen, war der Schock, den ich brauchte, um zu erkennen, wohin wir trieben. Ich begriff allmählich, wie sehr ich unserer Ehe dadurch schadete, daß ich nichts anderes wollte und nichts anderes versuchte, als zu trauern. Wir haben auch heute noch Probleme, und ich weine natürlich auch noch. Aber ich weiß, daß auch er manchmal weint, wenn auch vielleicht nur innerlich. Wahrscheinlich war es genau dies, was zu wissen ich nötig hatte. Ich kann jetzt wieder mit ihm irgendeinen Spaß haben und ihm seine Freude gönnen, denn ich weiß, daß auch er im Herzen weint.

Ricky ist jetzt ein Jahr tot. Und seit jenem Zusammenstoß ist unsere Ehe gefestigter denn je.«

Eine weitere Schwierigkeit für leidtragende Eltern – vor allem für solche Eltern, deren Kind an einer schleichenden Krankheit gestorben ist – ergibt sich aus der Konfrontation mit den Problemen des Alltags. Es fällt Eheleuten in dieser Situation offenbar ungemein schwer, miteinander über banale oder ärgerliche Vorkommnisse des täglichen Lebens zu reden.

So schien es uns zum Beispiel damals – fast auch heute noch – lächerlich, in einer Periode intensiver Sorge um unser Kind über so triviale Dinge wie »Warum hast du denn deine Hose nicht auf den Bügel gehängt?« oder »Warum gibt's denn schon wieder so spät Abendessen?« auch nur ein Wort zu verlieren. Aber gerade diese Atmosphäre, in der jeder versuchte, seinen jeweiligen Ärger zu unterdrücken und den Mund zu halten, fraß an dem Fundament unserer Ehe. Psychiater haben uns gesagt, daß ihnen dieses Problem durchaus geläufig ist.

Dabei hatten uns andere vorher sogar warnend darauf hingewiesen, daß der Alltag für uns nach dem Tode unseres Kindes seine besonderen Schwierigkeiten bringen werde. Wir ignorierten diese Warnungen. Wir meinten, erfahren zu haben, daß unsere Verbindung sich als stark genug erwiesen hatte, als wir gemeinsam um das Leben unseres Kindes gekämpft, gemeinsam auf Krankenhausfluren gestanden und gewartet hatten und schließlich gemeinsam zur Beerdigung gegangen waren. Es würde uns doch nun ein leichtes sein, mit den Problemen des Alltags fertig zu werden.

Wir irrten. Wir machten den großen Fehler, ganz gewöhnliche ärgerliche Kleinigkeiten entweder zu ignorieren oder totzuschweigen. Wir sprachen nicht über sie und brachten sie nicht in Ordnung, sondern ließen zu, daß sich explosive Situationen häuften.

Wir kehrten unsere Probleme unter den Teppich. Wer Schmutz unter den Teppich fegt, führt seinen Haushalt schlecht. Wer mit den alltäglichen Ärgernissen so umgeht, übt eine schlechte Ehepraxis. Leider waren wir nicht so weise, früh genug zu erkennen, daß sich der Schmutz bei uns übereinander türmte. Wir suchten erst Hilfe, als wir schließlich vor einem riesigen Berg von Müll und nicht mehr bloß vor einem kleinen Abfallhäufchen standen.

Wir haben den Entschluß gefaßt, es nie mehr so weit kommen zu lassen. Wir haben verabredet, daß wir über jedes anfallende Problem innerhalb eines Tages miteinander reden. Wenn ich mich über irgendein Vorkommnis zu sehr aufrege und nicht sofort darüber sprechen kann, dann sage ich meinem Mann, wenn er mich fragt, daß ich zwar aufgebracht bin, daß ich mich aber erst etwas beruhigen muß, bevor ich das Thema anschneide.

Er weiß, daß ich Wort halte. So braucht er nicht in mich zu dringen, daß ich die Sache sofort mit ihm diskutiere, sondern er kann warten, bis sich mein Ärger ein wenig gelegt hat. Manchmal ist gerade diese eintägige Atempause von großer Bedeutung, denn sie erleichtert es mir, die ganze Angelegenheit in der richtigen Perspektive zu betrachten.

Schon die Tatsache, daß man ein Heim miteinander teilt, wird von verschiedenen Leuten offenbar unterschiedlich betrachtet und beurteilt. Es sieht so aus, als ob leidtragende Väter auf das Wort »zu Hause« auf zwei verschiedene Arten reagieren. Entweder sie wollen immer zu Hause bleiben und nie mehr zur Arbeit gehen. Oder sie wollen nie mehr nach Hause kommen – sie haben Angst davor.

So hat mir der Besitzer einer Teppichhandlung davon erzählt, wie er sich nach dem Tod seines Sohnes mühte, wieder zu einem normalen Alltag zurückzufinden, und wie es ihn jeden Morgen die allergrößte Anstrengung gekostet hat, sein Haus zu verlassen.

»Irgendwie fühlte ich mich zu Hause wie in einem Hafen. Die Welt draußen sah so unfreundlich und kalt und rücksichtslos aus. Das Fortgehen war jeden Tag ein Kampf«, sagte er.

Seine Gattin, eine freundliche, einfühlsame und praktische Frau, hatte zu Hause trotz ihres eigenen Kummers eine solche Atmosphäre heiterer Geborgenheit entstehen lassen, daß ihr Mann sich regelrecht davor fürchtete, dieses behütete Heim zu verlassen. Um ihm zu helfen, bot sie ihm an, mit ihm ins Geschäft zu gehen und dort auf Teilzeitbasis mitzuarbeiten. So konnte er ein Stück »zu Hause« zur Arbeit mitnehmen. Allmählich hat er gelernt, es wieder allein zu schaffen.

Bei anderen Vätern sieht das Problem genau entgegengesetzt aus. Ihr Zuhause ist für sie das Symbol für Tod, Schmerz und Trauer. Viele Männer erzählten mir, daß sie sich alle möglichen Entschuldigungen ausdachten, nur um möglichst lange im Büro bleiben zu können. Andere verfielen auf andere Ausweichmöglichkeiten. Sie gingen nach der Arbeit mit den Kollegen in die Kneipe. Ihr Zuhause war für sie kein Hafen der Zuflucht. Ihr Zuhause bedeutete Schmerz, Kummer, Weh.

Natürlich entstehen in diesem Fall bei der Frau zwangsläufig große Animosität und Verärgerung. Wenn beide Partner hier keine Lösung finden, die jedem einzelnen gerecht wird, dann führt dieses Wegbleiben von zu Hause zu allmählicher gegenseitiger Entfremdung und später häufig zu Trennung oder Scheidung.

Es gibt Leute, die nach dem Tod ihres Kindes ihren Lebensstil radikal ändern. Sie verjüngen ihr Äußeres, wechseln die Arbeit, wechseln ihre Freunde – kurz, sie ändern alles. Andere wieder klammern sich noch fester an den Lebensstil, den sie bisher gehabt haben. Ich denke zum Beispiel an eine Mutter, die immer eine gute Hausfrau gewesen war. Die Fenster geputzt, der Herd blank, der Kühlschrank blitzsauber. Ihr Heim war perfekt in Ordnung, trotzdem aber nicht ungemütlich. Dann starb ihr Kind. Sie wurde derartig von der Putzsucht besessen, daß sie sich über jeden Fingerabdruck am Kühlschrank aufregte. Für einen Gast war es unmöglich, zweimal nacheinander Zigarettenasche in einen Aschenbecher zu streifen; sie sprang sofort nach dem ersten Mal auf und leerte ihn.

Je stärker sie diesem extremen Hang zum Putzen nachgab, desto schlimmer wurde es mit ihrem Mann. Er hatte sich noch nie viel mit Reparaturen im Haus abgegeben. Aber jetzt wurden überhaupt keine Dichtungen mehr ersetzt. Wasserhähne tropften. Aus den Fensterritzen zog es. Die Frau konnte zwar die meisten dieser Reparaturen selbst vornehmen, aber sie wurde gegen ihren Mann immer feindseliger gestimmt, weil er sich weigerte, auch Hand anzulegen. Kurz, es sah nicht gut aus zwischen den beiden. Sie steuerten auf eine ernsthafte Krise zu. Ein Freund, der die Bedrohlichkeit der Situation erkannte, bestand darauf, daß sie bei einer Beratungsstelle Rat suchten. Sie willigten ein.

Der Berater half ihnen, zu einer Lösung zu kommen, die das Leben für beide wieder angenehmer macht. Die Frau hat für abends eine Teilzeitbeschäftigung gefunden. Nachdem sie die Kinder versorgt, das Essen gerichtet und dann noch jeden Abend drei Stunden gearbeitet hat, besitzt sie einfach nicht mehr die Energie, zu Hause irgendwelche Schränke abzuschrubben, die sowieso bereits fleckenlos sind. Alle fühlen sich daheim nun wohler.

Die getroffene Vereinbarung sieht vor, daß der Ehemann sich um die Kinder kümmert, während die Frau auf der Arbeit ist. Er muß als erstes das Abendessengeschirr spülen und später die Kinder ins Bett bringen. Da er jetzt zu Hause bleibt, ärgert er sich plötzlich auch über tropfende Hähne und undichte Fenster. Vorher hatte er im Grunde nie auf so etwas geachtet. Jetzt macht er die nötigen Reparaturen selbst und hat sogar einen gewissen Stolz auf seine Fähigkeiten entwickelt.

Mann und Frau können nun wieder zuversichtlich in ihre gemeinsame Zukunft schauen, weil ein anderer ihre Probleme erkannt und ihnen zu einer Lösung verholfen hat, die sie allein wahrscheinlich nie gefunden hätten.

Die Väter toter Kinder müssen sehen, wie sie trotz ihrer Trauer nach wie vor den Lebensunterhalt für ihre Familie verdienen. Aber auch die Mütter haben ihre eigenen Lasten zu tragen, während sie versuchen, den Haushalt weiterzuführen.

Eines meiner schmerzlichsten und bittersten Erlebnisse nach Robbys Tod war mein erster Gang zum Kaufmann. Ich werde ihn nie vergessen. Jedes Regal, jede Abteilung erinnerte mich an meinen toten Sohn. Dort lag etwas, das er verabscheut, hier etwas, das er gern gemocht hatte. Grüne Bohnen, Würstchen, Erdnußbutter – der Schmerz durchfuhr mich wie mit Messern.

Nach diesem ersten Besuch hatte ich Angst davor, den Laden noch einmal zu betreten. Ich bat Freunde, mir verschiedenes von dort mitzubringen, zum Beispiel Milch. Sehr oft ließen wir uns Mahlzeiten aus einem Restaurant bringen. Es waren meine Kinder, die mich schließlich dazu brachten, wieder zu einer normalen Haushaltsführung überzugehen. Sie beklagten sich und sagten, sie hätten es satt, ewig vor leerem Kühlschrank und leerer Speisekammer zu stehen. Sie wollten Essen und richtige Mahlzeiten und auch einmal einen Happen zwischendurch. Ich fühlte mich so schuldbewußt, daß ich eine Verwandte bat, sie möchte mich begleiten, und dann ging ich zitternd und zagend einkaufen.

Dieses zweite Mal war aber nicht so schlimm wie das erste Mal – eine Erfahrung, die man im Verlauf des Trauerprozesses öfter macht.

Während dieser Periode der Fertiggerichte verzichtete mein Mann übrigens interessanterweise darauf, ein Recht, das ihm als Ehepartner durchaus zugestanden hätte, tatsächlich wahrzunehmen: Er erhob keinerlei Einspruch gegen die Art, in der ich meinen Haushalt führte beziehungsweise nicht führte. Er verstand, wie sehr ich litt, und stellte daher an mich keine Ansprüche. So kam es, daß diese schlechte Sitte bei uns einriß. Schon Wochen, bevor die Kinder darauf zu sprechen kamen, hätte sie eigentlich von uns aus wieder abgeschafft werden müssen.

Tolstoi sagte einmal: »Die moderne Familie ist ein winziges Boot, das im Sturm über ein weites Meer fährt. Solange es von einem Willen gelenkt wird, kann es sich über Wasser halten. Aber wenn die Bootsinsassen anfangen, miteinander zu streiten, dann kentert das Boot.«

Dies bewahrheitet sich in ganz besonderer Weise bei leidtragenden Ehepaaren, und zwar dann, wenn jeder Partner seine eigenen Wege geht und für sich allein herauszufinden sucht, wie er nach dem Tode des Kindes noch weiterleben kann.

Manchmal gerät das Familienboot auch deswegen in stürmische und gefährliche See, weil sich bei einem solchen Todesfall plötzlich grundlegende Unterschiede in religiösen Fragen zwischen den Eheleuten auftun können. Das kann sogar dann vorkommen, wenn beide derselben Konfession angehören.

Ich denke an ein Paar, das sich über dieser Frage völlig

entzweit hat. Er hat sich ganz und gar von der Religion abgewendet. Sie hat sich tiefer darein versenkt denn je. Sie geht täglich zur Messe und betet auch zu Hause häufig für die Seele ihrer Tochter. Nach außen hin zeigt sie niemals Trauer.

Ich war dabei, als die beiden eine ihrer Auseinandersetzungen über dieses Thema hatten, und ich fühlte mich recht ungemütlich.

»Pammy ist doch jetzt bei Gott. Warum soll ich da traurig sein? Etwas Schöneres kann es gar nicht geben. Ich kann Ihm nur dafür danken, daß Er sie so früh zu sich genommen hat, bevor sie das Leid dieser Welt kennenlernen mußte«, sagte die Frau.

Ihr Mann saß dabei und rutschte auf seinem Stuhl hin und her, während seine Frau ihre Meinung kundtat.

»Verdammt noch mal!« schrie er plötzlich, »ich habe es satt, mir immer anhören zu müssen, wie großartig es ist, daß sie tot ist. Es ist überhaupt nicht großartig! Es stinkt zum Himmel! Sie war schön. Sie war gescheit. Sie war meine Tochter, und ich werde nie dankbar dafür sein, daß sie tot ist. Was ist nur los mit dir?«

Die Mutter erhob sich mit einem überlegenen, wissenden Lächeln und ging einfach aus dem Zimmer.

»So ist es immer«, sagte der Mann. »Sie steht auf, macht ein weises Gesicht und läßt mich sitzen. Wie kann sie nur dankbar dafür sein – dankbar! –, daß Pammy tot ist?«

Ich wußte nicht, was ich sagen und wie ich ihm helfen sollte. Aber eines war mir klar: Beide arbeiteten einander entgegen, obwohl im Grunde beide dasselbe Ziel zu erreichen suchten – ein wenig Frieden. Und ebenso war mir klar, daß das Paar dringend etwas frischen Wind von draußen brauchte, der die festgefahrene Situation ein bißchen auflockern konnte. Neue Aufgeschlossenheit für den Partner war jedem von beiden vonnöten.

Zum Glück stattete ihnen schließlich einmal der Gemeindepfarrer einen Besuch ab. Er hatte den Ehemann vorher nicht gekannt. Er war ein Mensch mit großem Einfühlungsvermögen und erkannte sofort, wie die beiden sich gegenseitig zermürbten und welch häßlicher Zwist sich bei ihnen eingefressen hatte.

Er lud den Ehemann ein, doch einmal zu einem Gespräch in sein Pfarramt zu kommen, »zu einem offenen Gespräch ohne Scheuklappen«. Der Ehemann spürte, daß dieser Pfarrer kein Mensch war, der jeden Satz mit frommen Floskeln garnierte (»Gott wird schon dafür sorgen ...« »Gott wird schon alles recht machen ...«), und nahm die Einladung an.

Der Mann erzählte später, daß er sich mit dem Pfarrer angefreundet hat. Er wird zwar nie so fromm werden wie seine Frau, aber er versucht auch nicht mehr, sie von dieser für sie so wichtigen Quelle des Trostes fernzuhalten. Auch die Frau ist weniger streng geworden. Mit Hilfe des Pfarrers hat sie die Einsicht gewonnen, daß Gottes Macht eine heilende Macht ist und daß man nicht so von ihm reden soll, als wolle er die Menschen zermürben und quälen.

Manchen leidtragenden Eltern ist es gelungen, ihre Ehen dadurch lebensfähig zu erhalten, daß sie in irgendeiner Weise für das Gemeinwohl arbeiten. Wahrscheinlich ist das die einfachste und wohl auch die beste Lösung, wenn man einmal von ganz besonders schwierigen Fällen absieht. So arbeitet zum Beispiel eine derartige Gruppe von Eltern in der Leukämie-Stiftung von Michigan mit.

Frau Sylvia Brown, die Geschäftsführerin der Organisation, berichtet, daß diese Gruppe die negativen Statistiken, die im allgemeinen über leidtragende Eltern verbreitet werden, Lügen straft. Die Stiftung wurde 1952 gegründet. Einhundertfünfzig Paare haben seither aktiv bei der Bekämpfung dieser Blutkrankheit, die ihrem Kind das Leben gekostet hat, mitgewirkt. Lediglich eines dieser Paare hat sich, den Angaben von Frau Brown zufolge, inzwischen scheiden lassen.

Frau Brown berichtet, daß Elternpaare, die sich an die Stiftung wenden, an den betreffenden Versammlungen teilnehmen und sich für die Arbeit engagieren, offenbar gut miteinander zurechtkommen. Das gemeinsame Interesse am Kampf gegen diese heimtückische, tödlich verlaufende Krankheit fördert den Gedankenaustausch der Ehepartner untereinander und läßt die sonst so oft gegebene Möglichkeit einer allmählich sich einschleichenden Entfremdung gar nicht erst aufkommen.

Obwohl jeder Einzelfall wieder anders verläuft, glaube ich

doch, daß es für unsere Ehe eine große Hilfe gewesen wäre, wenn wir uns in einer solchen Organisation leidtragender Eltern engagiert hätten. Ich vermute dies nicht nur aufgrund der mir bekannt gewordenen Erfahrungen anderer Paare, die in der Leukämie-Stiftung gearbeitet haben, sondern auf Grund eines Erlebnisses, das mir selbst vor kurzem widerfuhr.

Sicher ist es falsch, wenn man sich einer Art Todeskult hingibt. Aber im Verlauf meiner Vorbereitungen für dieses Buch nahm ich zum ersten Mal an solch einem Treffen leidtragender Eltern teil und machte dabei eine überraschende Erfahrung. Es handelte sich um die Veranstaltung einer jener zahlreichen Organisationen, deren Ziel es ist, Leuten zu helfen, die denselben Verlust erlitten haben wie wir. Ich muß gestehen, ich habe mich noch nie so wohl und so zu Hause gefühlt wie an jenem Abend.

Erstens war mir die Entscheidung abgenommen, ob ich den Menschen um mich herum von meinem unersetzlichen Verlust erzählen sollte oder nicht. Dieses Problem stellt sich allen leidtragenden Eltern immer wieder, wenn sie sich in Gesellschaft begeben oder wenn sie jemand Neues kennenlernen. Noch Jahre nach Robbys Tod suchte ich verzweifelt nach einer Antwort, wenn mich ein Fremder fragte, wie viele Kinder wir hätten. Alle leidtragenden Eltern, denen ich begegnet bin, kennen dieses Dilemma.

Zweitens – und das war höchst wichtig – hörte ich, wie die Leute sich über Probleme unterhielten, die in Zusammenhang mit dem Todesfall oder im Laufe des Trauerprozesses für sie entstanden waren, Probleme, die es auch bei uns gegeben hatte. Diese Menschen saßen in einer Gruppenatmosphäre – einer freundlichen! – beieinander und beredeten Situationen und kamen zu Lösungen. In unserer Zweisamkeit dagegen waren unsere Schwierigkeiten oft wie schwärende Wunden gewesen, die nicht heilen konnten, weil es an frischer Luft fehlte.

An jenem ersten Abend hörte ich also, wie diese Leute offen und freimütig miteinander sprachen, Leute, die den gleichen mühseligen, steinigen Weg wanderten, den wir auch gegangen waren. Für leidtragende Eltern gibt es wohl keinen vertrauenswürdigeren Menschen als den, der denselben Weg hinter sich hat und auch jedes Schlagloch kennt.

Es kann für leidtragende Eltern eine unermeßliche Wohltat bedeuten, wenn sie sich einer derartigen Organisation anschließen. Wenn die Kinder des Paares groß genug sind, sollten sie auf jeden Fall miteinbezogen werden.

Es gibt bestimmte positive Schritte, die du als leidtragender Ehepartner tun kannst und auch tun mußt. Du hast schon genug verloren. Setz nicht auch noch deine Ehe aufs Spiel. Begegne deinem Partner vernünftig, nicht vorwurfsvoll. Denke daran, daß du ihn einst genug liebtest, um ihn zu heiraten. Geh behutsam mit ihm um und mach ihn nicht für etwas verantwortlich, das ihr beide nicht habt verhindern können: den Tod eures Kindes. Viele Paare arbeiten an irgendeinem sozialen Projekt mit, und diese Betätigung füllt zumindest teilweise die Leere aus, die durch den Tod des Kindes entstanden ist. Solch ein Projekt muß nicht unbedingt in Beziehung zu der Todesursache eures Kindes stehen. Es gibt so viele für das Gemeinwohl arbeitende Organisationen, die freiwillige Helfer brauchen. Versucht gemeinsam, eine solche ausfindig zu machen. Ein gemeinsames Interesse kann unendlich viel Gutes für euch mit sich bringen und völlig neue Aspekte für eure Beziehung eröffnen.

Glaube nicht, wenn man ein totes Kind hat, dann hätte man künftig für jedes Eheproblem schnell die richtige Antwort. Es ist schon normalerweise schwer, objektiv zu sein. Nach einem solchen Schicksalsschlag aber hast du möglicherweise überhaupt jede Wahrnehmungskraft verloren und kannst weder klar sehen noch klar urteilen.

Erweist euch doch selbst die Freundlichkeit und gebt zu, daß ihr unbedingt einen Dritten braucht, um mit ihm reden zu können – und das auch dann, wenn eurer Meinung nach keinerlei Spannung in eurer Beziehung vorliegt. Sie ist trotzdem da. In den meisten Städten gibt es Sozialämter mit ausgebildeten Leuten, die euch zuhören werden. Es gibt größere Organisationen zur Bekämpfung verbreiteter Krankheiten, zum Beispiel die Deutsche Krebshilfe. Auch kann man häufig die psychiatrischen Abteilungen der Krankenhäuser, vor allem der Kinderkrankenhäuser um Hilfe angehen. Auch die Kirchen werden euch Leute nennen können, an die ihr euch wenden könnt. In vielen größeren Orten gibt es Informationszentren, die euch an Personen oder Institutionen zur Beratung weiterleiten können. Natürlich ist die Qualität der Beratung unterschiedlich, aber ihr habt wenigstens einen positiven Anfang gemacht.

Vergiß nicht, daß das Leben weitergeht und daß mit ihm die Probleme des Alltags kommen. Kehre sie nicht unter den Teppich. Hab keine Angst vor dem Ärger deines Ehepartners. Sag ihm, er soll damit aufhören, die abendliche Heimkehr ständig hinauszuschieben oder sich überhaupt davor zu drücken. Sag ihr, du erwartest, daß sie ein vernünftiges Essen kocht. Wenn ihr es unterlaßt, diese konkreten Schritte zu tun, dann werdet ihr euch bald auf verschiedenen Seiten des Stromes der Trauer vorfinden, und es gibt keine Brücke mehr, auf der ihr einander noch begegnen könntet.

Vor allem aber denke daran, daß jeder sein eigenes Leid tragen muß. Ihr könnt es nicht teilen. Verlange von deinem Partner keinen Trost, wenn er denselben Schmerz fühlt wie du. Mach dir klar, daß sie dir helfen würde, wenn sie es könnte. Gib dich damit zufrieden, wenn du willst, daß deine Ehe überleben soll.

Diese Ehe ist kostbar. Nimm sie in acht. Du hast schon genug verloren.

> Ach, ruft den Bruder mir zurück!
> · Soll spielen ich allein?
> · Allein in Sonnenschein und Glück?
> Wo wird mein Bruder sein?
>
> Felicia Dorothea Hemens

Wenn ein Kind stirbt, ist es für Vater oder Mutter eine der schwierigsten Aufgaben, ihre Elternrolle gegenüber den überlebenden Kindern weiterhin wahrzunehmen.

Von diesen Eltern wird auf einmal etwas beinahe Übermenschliches verlangt. Sie sollen einem jungen Menschen helfen, sich mit der unfaßbaren Tatsache abzufinden, daß eine Person aus seiner eigenen Generation gestorben ist. Für die Eltern heißt das, daß sie sich mühen müssen, die rechten Worte und die rechte Weise des Trostes für den überlebenden Bruder oder die überlebende Schwester zu finden. Sie müssen helfen, die Leere auszufüllen, die das tote Kind hinterlassen hat. Es hat ja vorher mit seinen Geschwistern alles geteilt: Tisch, Spiele, Schlafzimmer, Vorlieben für bestimmte Fernsehprogramme. Und nun? Die Leere, die entsteht, wenn man keinen mehr hat, mit dem man etwas teilen kann, kann bodenlos sein.

Mutter-Sein und Vater-Sein heißt jetzt, ein Kind, dem gleichsam ein Teil seiner selbst abgetrennt worden ist, bis zu seiner seelischen Gesundung zu hegen und zu pflegen.

Eltern-Sein heißt jetzt, einem anderen Menschen zum Gehen und zum Reden zu verhelfen, ihn ständig zu begleiten und ihm zuzuhören – und das zu einer Zeit, in der man eigentlich alle Kraft braucht, um für sich selbst zu denken und zu handeln.

Unglücklicherweise müssen viele überlebende Kinder leiden, weil ihre Eltern unfähig sind, dieser Verantwortung gerecht zu werden. Diese Unfähigkeit kann sich bei den Kindern ein Leben lang auswirken.

Als Robby starb, zog es uns instinktiv sofort heim zu unseren anderen Kindern, die wir in der Obhut von Verwandten

gelassen hatten. Freunde von uns bombardierten eine Luft-
fahrtgesellschaft mit Anrufen, bis es ihnen schließlich gelang,
für uns in einer bereits vollbesetzten Maschine zwei Notsitze
zu ergattern. Wir hatten das Gefühl, daß unsere Kinder uns
brauchten.

Wir hatten recht. Sie brauchten uns. Und trotzdem erinnert
sich unser Sohn, der damals zwölf Jahre alt gewesen ist, sechs
Jahre später noch daran, daß er sich während der ganzen
Trauerzeit und noch einige Jahre danach ungeliebt und verlassen vorgekommen ist.

In Gesprächen mit überlebenden Geschwistern toter Kinder, von denen viele heute schon in mittlerem Alter sind,
taucht immer wieder der Hinweis darauf auf, daß die Betreffenden herzlich wenig Trost von seiten ihrer Eltern erfahren
haben.

»Ich wartete nach dem Tod meines Bruders immer auf Hilfe
von meiner Mutter«, sagte eine Frau Ende Vierzig. »Obwohl
ich erst achtzehn war, als er starb, weiß ich noch heute, wie
einsam ich mich fühlte und wie erschrocken ich darüber war,
daß im Grunde weder Vater noch Mutter ansprechbar waren.
Ich kann mich wirklich nicht daran erinnern, daß sie sich
besonders um mich gekümmert hätten. Sie waren viel zu sehr
mit ihrem eigenen Leid beschäftigt.«

Die Frau, die verheiratet und selbst Mutter ist, sagte das
ohne jeden Vorwurf. Der Tod ihres Bruders lag ja schon ein
Vierteljahrhundert zurück.

»Ich war böse auf sie, denn es kam mir vor, als schöben sie
mich gerade in dem Augenblick beiseite, in dem ich sie am
dringendsten gebraucht hätte. Heute verstehe ich, daß sie mir
damals nicht mehr geben konnten«, sagte sie.

»Als meine Mutter und ich Jahre später einmal über diese
schreckliche Zeit sprachen, war es irgendwie komisch. Sie
konnte sich nämlich nur noch daran erinnern, was es sie für
eine Anstrengung gekostet hatte, sich um mich zu kümmern
und mich zu trösten! Sie behauptete, dies sei die einzige Anstrengung für einen anderen Menschen gewesen, deren sie
damals überhaupt fähig gewesen sei. Ihre Erinnerung mag ja
wahr sein, aber wenn sie damals wirklich den Versuch gemacht hat, auf mich zuzugehen und mich anzusprechen, dann

ist ihr das jedenfalls nicht gelungen. Ich weiß nur, daß ich mich ganz verlassen fühlte.«

Diese Frau steht mit ihrer Erfahrung nicht allein. In einem Gespräch mit drei Teenagern – meinem Sohn im Alter von neunzehn und zwei Mädchen im Alter von sechzehn und neunzehn Jahren – kam genau dasselbe heraus: Als ihr Bruder oder ihre Schwester starben, blieben die Eltern für sie unerreichbar und fern.

Wir sprachen über das Durcheinander von Gefühlen, das durch den Tod eines Geschwisters entsteht. Die Antworten der jungen Leute machten mich traurig. Hätte ich nur damals, als es darauf ankam, schon von ihnen gewußt! Wie großen Nutzen hätte ich aus ihnen ziehen können! Auch wurde mir klar, daß mein Mann und ich im Grunde damals versagt hatten, obwohl wir der Meinung gewesen waren, wir machten alles richtig.

Die drei gebrauchten Ausdrücke wie »abscheulich«, »wirklichkeitsfremd« und »fauler Zauber« zur Charakterisierung der Beerdigung ihres toten Geschwisters.

»Sie dauerte ewig«, sagte Carol, sechzehn. Ihre fünfundzwanzigjährige verheiratete Schwester, mit der sie ein besonders enges Verhältnis gehabt hatte, war vor vier Jahren gestorben.

»Ich wollte mit meiner Mutter allein sein. Statt dessen saß ich inmitten einer Menge von weinenden Verwandten«, sagte Diane, achtzehn. Sie ist jetzt, nachdem ihr fünfzehnjähriger Bruder vor zwei Jahren gestorben ist, zu Hause das einzige Kind. Ein halbes Jahr vor dem Bruder war bereits ihr Vater gestorben.

»Die ganze Beerdigung war nichts anderes als ein Riesentrubel von Leuten, die ein großes Theater machten – alles fauler Zauber«, sagte mein Sohn.

Und er wiederholte, was Diane gesagt hatte: »Ich wollte meine Ruhe haben und mit meinen Eltern und meiner Schwester allein sein. Statt dessen waren unheimlich viele andere Leute da.«

In vieler Hinsicht ähnelt der Trauerprozeß eines hinterbliebenen Bruders oder einer Schwester demjenigen der Eltern. Aber es gibt auch Unterschiede. Bei den drei Teenagern, die aus recht unterschiedlichem Milieu kamen, zeigte dieser Prozeß überraschende Ähnlichkeiten.

»Ich habe nie zu Hause geschlafen. Ich wollte immer nur fortlaufen, fortlaufen, fortlaufen. Fort von meiner Mutter, weil sie nach der Beerdigung immer nur weinte. Am Ende war stets ich diejenige, die sie tröstete, statt daß sie mich getröstet hätte. Ich kann ihr das bis heute nicht vergeben«, sagte Diane.

»Ich bin fast die ganze Zeit unterwegs gewesen«, erzählte Carol. »Keiner hat sich um mich gekümmert. Plötzlich gab es auch zu Hause keine Vorschriften und keine Strenge mehr. Zum ersten Mal habe ich gesehen, wie mein Vater weinte. Da war ich sehr erschrocken und fühlte mich ganz verlassen. Meine Mutter war sozusagen völlig aus den Fugen und zu überhaupt nichts mehr zu gebrauchen. Ich hatte das Gefühl, sie erwartete von mir, daß ich sie tröstete – und dabei war doch meine Schwester tot, meine große Schwester, mit der ich immer über alles reden konnte.«

Mein Sohn stimmte in einigen Punkten zu und machte dann noch ein paar Bemerkungen über seine eigenen Erfahrungen.

»Ich kam mir so überflüssig vor. Wie oft habe ich in meinem Zimmer geweint. Ich sehnte mich danach, daß jemand mich ernst nahm und mit mir redete; aber immer, wenn ich mit dir oder Vati über Robby sprechen wollte, hatte ich das Gefühl, ich fiele euch zur Last. Ich hätte es so dringend nötig gehabt, daß meine Eltern sich die Zeit genommen hätten, um mit mir zu reden. Aber das kam nur selten vor. Statt dessen schien unser Haus ewig voller Leute zu sein.«

Ein Gefühl, unter dem leidtragende Eltern im allgemeinen zu leiden haben, fehlte bei den drei jungen Leuten völlig. Ich meine das Gefühl der Ohnmacht. Aber auch so muß ihr Schmerz groß genug gewesen sein. Das zeigte sich, als sie miteinander über Schuld sprachen.

Schuldgefühle sind in fast allen Fällen unbegründet. Dale war ein höchst rücksichtsvoller Bruder gewesen, wenn es natürlich auch zwischen ihm und dem drei Jahre jüngeren Robby ein normales und gesundes Maß an Streit gegeben hatte. Wie jeder Bub, der in das entsprechende Alter kommt, wollte auch Robby brennend gern in einem Baseballteam mitspielen und natürlich auch den dazugehörigen Baseballanzug tragen. Er erlebte einen der traurigsten Tage seines jungen Lebens, als der Herzspezialist ihm eröffnete, daß Baseballspielen für ihn auf keinen Fall in Frage kam. Schon so viele Krankenhausaufenthalte, so viele Krankheitsperioden hatte er ja bereits hinter sich!

Und dann war es sein Bruder, der in seiner natürlichen Freundlichkeit dafür sorgte, daß Robbys Enttäuschung etwas gemildert wurde.

Dale war selbst ein gar nicht so schlechter Baseballspieler und bereits Mitglied eines Teams der Juniorenliga. Er überredete seinen Trainer, Robby zum »batboy« (Schlägerträger) des Teams zu machen. Als er nach Hause kam und Robby erzählte, daß eine Aufgabe in einem Baseballteam – und damit auch ein Baseballanzug! – auf ihn wartete, da strahlte der Jüngere nur so vor Freude und Glück. Eigentlich hätte sich Dale sein Leben lang an dieses strahlende Gesicht seines Bruders erinnern müssen.

Aber keineswegs. Er erinnerte sich nicht einmal mehr an diesen Vorfall. Auch hatte er ähnliche Freundlichkeiten, die er seinem Bruder erwiesen hatte, völlig vergessen. Daß er Robby von Partys immer Süßigkeiten mitgebracht hatte. Daß er manchmal zu Hause geblieben war, um mit seinem Bruder ruhige Gesellschaftsspiele zu spielen, statt mit seinen Freunden umherzutollen. Daß er ihn auf seinem Fahrrad mitgenommen hatte, wenn Robby zu müde gewesen war, um selbst in die Pedale zu treten.

Statt dessen erinnerte sich Dale nur an Streitereien und Mißstimmungen. Und was noch schlimmer war – rückblickend erschien ihm das alles viel schwerwiegender, als es in Wirklichkeit gewesen war.

»Als er gestorben war, hatte ich regelrechte Alpträume, weil ich ihn manchmal gepufft hatte«, sagte mein Sohn. »Es hat Jahre gedauert, bis ich begriffen hatte, daß ich mit seinem Tod nichts zu tun hatte.«

Carols Schuldgefühle gingen in eine ganz andere Richtung. Sie meinte, Gott hätte dieses Unglück geschickt, weil sie immer so eifersüchtig auf die Kinder ihrer Schwester gewesen war. Früher war sie es gewohnt gewesen, daß sich alle Aufmerksamkeit und alle Zuneigung ihrer Schwester allein auf sie gerichtet hatten.

»Ich ging hinüber in ihr Haus und sah, wie sie mit ihren Kleinen spielte – sie waren zwei und drei Jahre alt –, und auf einmal hatte sie keine Zeit mehr, sich mit mir zu unterhalten. Es kam mir so vor, als wäre ich aus ihrem Leben ausgeschlossen. Manchmal ging ich dann voller Haß auf die Kinder nach Hause. Ich wollte die ungeteilte Liebe meiner Schwester. Dann bekam sie Krebs und starb.

Ich dachte, Gott hätte mich wegen meiner Eifersucht bestraft. Aber ich konnte zu keinem Menschen darüber reden. Es gab einfach niemanden, dem ich das hätte sagen können.«

Diane hatte ihren eigenen Schmerz zu durchleiden. Früher hatte sie sich mit ihrem Bruder sehr gut verstanden. Dann kam das Jahr, in dessen Verlauf er bei einem Autounfall getötet wurde.

»Gerade in diesem Jahr liefen die Dinge zwischen uns auf einmal nicht mehr so gut. Wir waren im Alter nur ein Jahr auseinander und hatten bisher immer alles gemeinsam getan. Dann wurde mein Vater krank und starb. Mein Bruder zog sich völlig von allen Menschen zurück, auch von mir. Mir tat das sehr weh, denn wir hatten bisher wirklich Freud und Leid geteilt.

Je tiefer er sich in sein Schneckenhaus verkroch, desto fester war ich entschlossen, nicht darauf zu achten und ihn zu ignorieren. Wenn er nicht mehr mit mir reden wollte – gut, dann würde ich ihm halt keine Beachtung mehr schenken. Innerhalb von sechs Monaten waren wir füreinander fast wie Fremde geworden. Und dann kam der Autounfall, und er starb. Ich konnte die Dinge nicht mehr in Ordnung bringen. Nie mehr werde ich das können.«

Die drei gehörten verschiedenen Glaubensrichtungen an, stimmten aber traurigerweise in ihrer Beurteilung der institutionalisierten Religionen völlig überein. Keiner von ihnen wollte irgend etwas damit zu tun haben – und das, obwohl ihre Eltern alle auf irgendeine Weise am gottesdienstlichen Leben ihrer Religionsgemeinschaft teilnahmen.

»Wenn es einen Gott gibt, warum hat er dann meinen Bruder sterben lassen?« fragte mein Sohn.

Carol glaubte zwar noch an Gott, aber sie konnte ihm nicht mehr das Vertrauen entgegenbringen, daß er schwerkranken Menschen helfen würde.

Diane sagte, bei ihnen zu Hause sei nach den beiden Todesfällen in der Familie kaum noch etwas von Religion zu spüren. »Ich bin auch froh darüber. Denn schließlich – was ist Beten? Als mein Bruder nach seinem Autounfall auf der Intensivstation lag, habe ich immer wieder gebetet, Gott möchte ihn doch verschonen und am Leben lassen. Es reicht mir nicht, wenn man mir sagt, ich würde meinen Bruder in einem Leben nach dem Tode wiedersehen. Ich brauch ihn jetzt und hier. Beten ist nichts anderes als Viele-Worte-Machen.«

Alle drei erzählten, daß immer dann, wenn die Eltern ihnen etwas über den Tod des Bruders oder der Schwester zu erklären versucht hatten, das Wort »Gott« in ihren Reden aufgetaucht war. »Es war Gottes Wille« oder »Jetzt ist er bei Gott«, hieß es in allen drei Familien.

Offenbar war das nicht ganz die richtige Methode. Alle drei waren auf sich gestellt gewesen und hatten keinen Menschen gehabt, den sie um Hilfe bitten konnten. Dabei wäre ihnen gerade in dieser Zeit solche Hilfe von unschätzbarem Wert gewesen. Alle stimmten darin überein, daß sie heute vielleicht noch etwas mit der Religion anfangen könnten, wenn sie ihnen damals in angemessener Weise nahegebracht worden wäre. Aber offenbar hatten alle drei Elternpaare, wenn auch unabsichtlich, ihren Kindern den Eindruck vermittelt, daß Gott diesmal eine schlechte Entscheidung getroffen hatte und daß er an dem ganzen Unglück schuld war. Oder auch, daß er es auf ihre Familie abgesehen hatte und sie verfolgte.

Alle drei hatten damals auch das Gefühl gehabt, daß der Schatten des Todes sich über jeden Bereich ihres Lebens gelegt hatte. Zu-Hause-Sein bedeutete »Trauern« und nicht etwa »Geborgen-Sein«. Es schien ihnen, als hätte zu Hause nichts mehr eine positive Bedeutung, und deswegen verbrachten sie den größten Teil ihrer Zeit anderswo.

»Ich bin immer zu meinen Freundinnen gegangen«, sagte Carol. »Ich habe gehofft, ich fände dort ein bißchen Abwechslung. Ich wollte fort aus der Atmosphäre, die zu Hause herrschte, fort aus der Traurigkeit und Leere. Meine Eltern waren immer böse auf mich, weil ich ständig irgendwelche Verabredungen zum Übernachten oder zum Abendessen bei Freundinnen getroffen habe. Ich konnte ihnen nicht erklären, daß unsere Wohnung für mich einfach ›Tod‹ bedeutete – und nichts sonst.«

Dianes Bemühungen, dem Leben ein wenig Vergnügen abzugewinnen, begegneten dem Stirnrunzeln mehrerer wohlmeinender Tanten und Onkel.

»Ich habe unser Haus gehaßt, weil sie immer alle gekommen sind und gesagt haben: ›Bleib bei deiner Mutter. Versuch, ihr zu helfen.‹ Sie haben mich nie verstanden. Ich hatte ja gar nicht die Kraft, ihr zu helfen. Meine Energie reichte gerade aus, um zur Schule zu gehen. Mit einer dieser Tanten spreche ich heute überhaupt nicht mehr. Die ist eines Sonntags zu uns gekommen und hat angefangen, mit mir zu schimpfen, weil ich so oft fortging. Am Schluß hat sie dann gesagt: ›Denkst du denn überhaupt nicht mal an deinen Bruder?‹ Ich habe geantwortet, sie sollte mir den Buckel runterrutschen, und bin aus dem Haus gerannt. Seitdem haben wir kein einziges Wort mehr miteinander gesprochen.«

Noch etwas haben die drei gemeinsam: Sie gehen nur ungern ans Grab ihres Bruders oder ihrer Schwester.

»Mich bringt keiner hin – höchstens mit Gewalt«, so Carol.

»Man kommt hin und – was soll's?« so Diane.

»Es bringt gar nichts, wenn man da hingeht. Mir wird höchstens übel«, so Dale.

Carol ist nach dem Tod ihres Bruders nie auf dem Friedhof gewesen.

»Manchmal denke ich, ich könnte eigentlich mal hingehen, aber ich tue es dann doch nie; und wenn ich's täte, dann nur allein. Nicht mit meinen Eltern. Ich kann ihre dauernden Ermahnungen, ich sollte doch hingehen, nicht ausstehen. Ihr Verlust ist nicht mein Verlust. Umgekehrt ist auch mein Verlust nicht der ihrige. Falls ich jemals zum Grab meiner Schwester gehe, dann nur allein. Das geht dann nur mich persönlich etwas an. Eines Tages gehe ich hin. Aber jetzt noch nicht. Und ganz bestimmt nicht deswegen, weil meine Eltern mir dauernd deswegen in den Ohren liegen.«

Am Ende dieses Gespräches war ich sehr traurig – als Interviewerin, aber auch als Mutter. Da lebten wir nun schon sechs Jahre als eine vom Tod hart geschlagene Familie, und heute hatte mein Sohn zum ersten Mal darüber gesprochen, was er bei Robbys Sterben empfunden und wie alles auf ihn gewirkt hatte. Dabei hatten wir bisher immer über alle möglichen Themen ganz offen miteinander geredet.

Allerdings habe ich einerseits wenigstens etwas mehr Glück als die beiden anderen Mütter. Denn sie kennen die Gedanken ihrer Kinder bis heute nicht. Ich glaube, daß sich im Hinblick auf die weiterlebenden Geschwister eine besondere Tragödie abspielt, wenn ein Kind der Familie stirbt. Es scheint ihnen fast immer unmöglich zu sein, ihre Gedanken, die um den toten Bruder oder die tote Schwester kreisen, anderen gegenüber laut werden zu lassen. Nur ganz selten wird sich ein Kind seiner tränenüberströmten Mutter nähern und zu ihr sagen: »Manchmal habe ich meinen Bruder gehaßt. Ich habe sogar hin und wieder gewünscht, er wäre tot. Ist er jetzt deswegen gestorben?« Und doch reagiert manches Kind auf diese Weise, wenn es von Bruder oder Schwester verpetzt, verhauen oder auch nur zum Zorn gereizt wird.

Natürlich wird es auch Kinder geben, die sich in dieser schwierigen Zeit verstanden fühlen, also nicht nur solche, bei denen Ärger und Verbitterung entstehen. Aber verschiedene Familienberater meinen, daß Geschwister, die den Tod eines Bruders oder einer Schwester überleben, es gewöhnlich fertigbringen, allen Unwillen, den sie verspüren, auf einen bestimmten Punkt zu lenken und sich eine Art Blitzableiter zu schaffen. So richten sie zum Beispiel ihren Ärger auf bestimmte Autoritätspersonen, von denen sie sich schlecht behandelt fühlen: auf Eltern, Verwandte, Lehrer, ja selbst auf Gott.

Die bittere Lektion, die Kinder in Wahrheit aus dem Tod eines Geschwisters lernen, ist wohl die, daß im Leben nicht alles schön oder gut ist. Es gibt Trauriges, Tragisches. Daran kommt man nicht vorbei. Es gibt Dinge, die am Ende nicht mehr in Ordnung sind und nie mehr in Ordnung kommen. Wenn man noch jung ist, kann einem diese Wahrheit sehr weh tun.

Kinder, die sich von klein auf instinktiv an ihre Eltern gewendet haben, wenn ihnen etwas weh getan hat, lernen jetzt auf einmal ihren Vater oder ihre Mutter von einer ganz anderen – nicht sehr schönen – Seite kennen. Sie sehen ihre Eltern als Bild der Ohnmacht. Sie sehen, daß sie völlig erschüttert sind, und das wiederum erschüttert sie selbst zutiefst. Sie erwarten Trost von Menschen, die selbst getröstet werden müssen.

Ein anderes Problem, mit dem sich Geschwister manchmal herumschlagen müssen, ist der fast unvermeidliche Vergleich, der zwischen ihnen und dem toten Kind angestellt wird. In den meisten Familien gibt es unter den Geschwistern eine gesunde Rivalität. Sie kann sich auf Zeugnisnoten, sportliche Leistungen oder einfach darauf beziehen, daß jeder die besondere Zuwendung der Eltern erreichen will. Die Eltern ziehen meistens, je nach Situation, einmal das eine, ein andermal das andere Kind vor. Das ist wohl überall so und muß wohl auch so sein.

Wenn ein Kind stirbt, haben die Eltern gegenüber den überlebenden Geschwistern eine besondere Verpflichtung. Sie müssen darauf achten, daß jene einst gesunde geschwisterliche Rivalität sich nicht in eine unheilvolle Erinnerung oder Empfindung verwandelt.

So erzählte mir eine Grundschullehrerin von folgendem Fall: Sie hatte in ihrer Klasse einen aufgeweckten Jungen, der bei allen beliebt war. Er starb mitten im Schuljahr an Leukämie.

»Brian war ein prachtvoller Junge. Wirklich prachtvoll. Er war hervorragend in Mathematik. War Klassensprecher. Und vor allem: er hatte einen herrlichen Humor. Ich sehe ihn noch vor mir und muß dabei beinahe lächeln, obwohl ich traurig bin, weil er tot ist.«

Die Lehrerin erzählte, daß Brian einen nur um ein Jahr jüngeren Bruder hatte, der offenbar dazu bestimmt war, in die Fußstapfen des Älteren zu treten.

»Als Brian starb, erzählte mir Craigs Lehrerin, daß sich der jüngere Bruder durch das gleiche gefällige Wesen und die gleiche Begabung auszeichnete. Ich weiß noch, daß ich damals dachte, dies müßte für die Eltern doch ein großer Trost sein.

Ein Jahr später kam Craig dann in meine Klasse. Aber es war an ihm keinerlei Ähnlichkeit mit Brian mehr zu entdekken. Craig war ein schwieriger, aggressiver Junge, der sich beim Lernen offenbar nicht die geringste Mühe gab. Es wurde immer schlimmer mit ihm, und als ich gar nicht mehr mit ihm fertig wurde, weil er so widerborstig war, bat ich schließlich nach langem Zögern seine Mutter zu mir in die Schule.

Als sie in mein Zimmer trat, nahm ich an ihr sofort die Liebenswürdigkeit wahr, die ich an Brian gekannt hatte. Ich legte ihr mein Problem dar, und sie sagte mir, sie hätten zu Hause dieselbe Veränderung an ihrem Jungen bemerkt und könnten sie sich einfach nicht erklären. Sie erzählte, daß ihr Mann und sie schon oft mit Craig darüber gesprochen hätten. Sie hätten ihm auch gesagt, es gäbe für ihn doch ein Vorbild, nach dem er sich richten könnte. Nämlich Brian.«

Je mehr die Mutter davon erzählte, wie Craigs Probleme zu Hause behandelt wurden, desto klarer erkannte die Lehrerin die Gründe für das Verhalten des Jungen. Craig sah nur einen einzigen Weg, auf dem er sich der letztlich unmöglichen Rivalität mit seinem toten Bruder entziehen konnte: Er würde sich auf keinerlei Wettstreit mit ihm einlassen. Er würde ganz anders sein. Die Ähnlichkeit zwischen den beiden verleitete die Eltern zum Vergleich, und bei diesem Vergleich zog das lebende Kind gegenüber dem toten immer den kürzeren.

»Ich riet der Mutter zu einer psychiatrischen Beratung und faßte mir auch ein Herz und sagte ihr ins Gesicht, wie ich persönlich die Situation beurteilte. Die Mutter war regelrecht schockiert und wehrte zunächst alles ab. Aber schließlich stimmte sie mir doch zu. Am Ende des Schuljahrs konnte der aufsässige Bub, der seine Kameraden so tyrannisiert hatte, wieder lachen und bei allem mitmachen. Aber es gab immer noch Augenblicke, in denen auf seinem Gesicht eine gewisse Verlorenheit lag. Er dachte dann wohl an seinen toten Bruder und vermißte ihn.«

Natürlich sind die individuellen Probleme, denen sich Eltern und Geschwister nach dem Tod eines Kindes gegenüber sehen, ungeheuer vielschichtig. Schon bei den Erwachsenen gibt es ja nur wenige, die eine fertige Philosophie über Tod und Nicht-mehr-Existieren haben. Deswegen fällt es uns auch immer so schwer, einem anderen Menschen bei dem unfaßbaren Geschehen, das ein plötzlicher Todesfall in der Familie nun einmal ist, helfend zur Seite zu stehen.

Unklare Gefühle der Eltern über den Tod – Furcht davor,

Ungewißheit über ein Leben nach dem Tode oder andere Zweifel und Unsicherheiten – werden zwangsläufig auf die Kinder übertragen, vor allem auf kleinere Kinder. Die Psychiater sagen übereinstimmend, daß einem Kind, welches unter vier Jahre alt ist, Erklärungen jeder Art überhaupt nichts bedeuten. Seine Lebenserfahrung ist viel zu gering, als daß es ein Geschehen von solchen Dimensionen erfassen könnte.

Daß diese Behauptung nur zu wahr ist, habe ich erfahren, als ich unserer ungewöhnlich intelligenten vierjährigen Tochter Robbys Tod zu erklären versuchte.

Am Anfang versuchte ich, die Wahrheit zu sagen und mir dennoch mit einer Lüge weiterzuhelfen, was natürlich den üblichen psychiatrischen und allgemein-menschlichen Grundsätzen zuwiderläuft. Als wir von Alabama zurückkehrten, war unser ganzes Haus voller Trubel. Überall saßen Freunde und Verwandte, die es gut mit uns meinten, und es gab kaum ein ruhiges Plätzchen. Unser Rabbi hatte Dale von dem tragischen Geschehen unterrichtet, aber es blieb mir überlassen, nun auch Stacie zu erklären, warum sie ihren geliebten Bruder nie mehr wiedersehen würde.

Als wir heimkamen, war es schon dunkel. Meine Tochter und ich setzten uns in die Eingangshalle an das große Fenster, und während wir uns unterhielten, konnten wir draußen den Sternenhimmel betrachten. Dieses Gespräch ist eines der schwersten in meinem Leben gewesen, und es hat sich mir unvergeßlich tief eingeprägt.

Ich fing damit an, daß ich nur sagte, Robby sei tot. Sie fragte: »Wie lange wird er tot sein?« Ich antwortete: »Immer. Er kommt nie mehr zurück.« Aber ein kleines vierjähriges Menschlein – so schnell auch seine Auffassungsgabe sein mag – kann das Wort »immer« einfach nicht erfassen. Ich sah ihr an, wie verwirrt und erschrocken sie war.

Sie fragte, was passiert, wenn ein Mensch stirbt. Jetzt war ich äußerst vorsichtig und vermied bewußt jene gefährliche Redensart, er sei »eingeschlafen«. Ich glaube nämlich, daß daraus bei einem Kind eine ständige Angst vor dem Schlafengehen erwachsen kann. Statt dessen sagte ich, er hätte aufgehört zu atmen. Ich hörte, wie sie tief Luft holte und dann versuchte, den Atem anzuhalten. Sie sagte, sie könnte das aber nicht lange tun. Ich gab ihr recht und meinte, das käme daher, daß sie ein gesundes Kind wäre.

Bis zu dem Punkt, an dem das unvermeidliche »Warum?« kam, ging alles ganz gut. Ich antwortete ihr so einfach und so ehrlich, wie es ihr Alter und meine eigene Verfassung nur eben zuließen. Dann kam die Nagelprobe.

»Warum?«

Ich sagte als erstes, er sei sehr krank gewesen. Sie hielt dagegen, daß sie ja auch schon oft krank gewesen wäre. Ich sagte, bei Robby sei es eine andere Art Krankheit gewesen.

»Robby war so lieb. Er hat mit mir gespielt. Er hat sicher Angst, weil er nicht zu Hause ist. Warum ist er denn gestorben?«

Wieder gab ich ihr zur Antwort: »Er war sehr krank.« Obwohl ich den Satz mehrmals wiederholte, hatte er für sie absolut keine Bedeutung. Sie nahm ihn gar nicht auf. Ganz offensichtlich nicht. Aber ich spürte, daß die Tatsache, daß Robby nie mehr heimkommen würde, ihr Angst machte, Angst davor, daß ihr selbst das auch einmal passieren könnte.

Schließlich sagte ich ihr in meiner Verzweiflung, ohne recht zu überlegen, Robby hätte große Schmerzen gehabt, und wir müßten dankbar sein, daß ihm jetzt nichts mehr weh täte.

Das war zwar nicht wahr, aber es hatte zumindest den Vorteil, daß die Kleine es begreifen konnte. Etwas, das zu verstehen sie imstande war. Schließlich war Schmerz etwas Unangenehmes, das sie ihrem Bruder nicht wünschte. Danach hörte das »Warum?« auf.

Es bleibe den Psychiatern und Moralisten überlassen, darüber zu befinden, ob Lügen in jedem Fall falsch ist. Ich weiß nur, daß sie eine Antwort verzweifelt nötig hatte. Irgendeine Erklärung. Ich gab ihr eine, die sie erfassen konnte. Als sie zehn war, sagte ich ihr, daß ich damals gelogen hatte. Erst war sie böse auf mich. Dann erklärte ich ihr, warum ich es getan hatte, und da verstand sie es. Normalerweise bin ich zu meinen Kindern immer aufrichtig, und das weiß sie auch. Sie hat dann später einmal gesagt, sie wäre damals dankbar für eine Erklärung gewesen, die wenigstens einleuchtend war.

Auf einem Fortbildungsseminar für Sozialarbeiter nannten verschiedene Psychologen bestimmte Kategorien von geeigneten Auskünften, die man Kindern – je nach Alter – in dieser Situation geben kann.

Sie sagten, daß ein Kind frühestens mit fünf Jahren erfassen kann, daß der Tod endgültig ist. In diesem Alter haben Kinder im allgemeinen schon einmal kleine tote Tiere gesehen. Die Psychologen warnen davor, Gesprächen über den Tod auszuweichen, wenn diese vom Kind angefangen werden. Sag ihnen die Wahrheit möglichst kurz und schlicht, es sei denn, dir werden ganz bestimmte Fragen gestellt, auf die du näher eingehen mußt. Es ist deine Sache, ob du dabei von Gott redest oder nicht. Achte aber darauf, daß du ihm nicht die Schuld zuschiebst, so daß dein Kind später nur voller Haß an ihn denken kann.

Die Psychologen sagen auch, daß sechsjährige Kinder beim Tod eines Menschen schon sehr starke Empfindungen haben. Also muß man bei ihnen sehr vorsichtig vorgehen. Sei behutsam und gib acht, daß du nicht deine eigenen Ängste auf sie überträgst.

Ein siebenjähriges Kind – vor allem eins, das in unserer Fernsehgesellschaft aufwächst und selbst in Zeichentrickfilmen Personen sterben sieht – ist zwar sehr neugierig und möchte gern alles über den Tod wissen, kann aber dessen Bedeutung im Grunde doch noch nicht erfassen. Mit acht ist dann ein Kind eher zu differenzierendem Denken fähig. Von diesem Alter an kann es mit Erklärungen, die etwas tiefer reichen, schon etwas anfangen.

Die Psychologen betonen nachdrücklich, wie wichtig es ist, daß man sein eigenes Kind gut kennt. Die angegebenen Altersgrenzen können natürlich nur als grobe Richtschnur angesehen werden.

Es ist eine Sache des persönlichen Urteils, ob man kleine Kinder zur Beerdigung eines toten Bruders oder einer toten Schwester mitnehmen soll. Eine Art Faustregel besagt, daß es für ein Kind unter sieben weder hilfreich noch förderlich ist, wenn es eine solche traurige Feier miterlebt. Diese Meinung wird auch von Psychiatern vertreten. Allerdings äußert unsere Tochter von Zeit zu Zeit ihren Ärger darüber, daß sie bei der Beerdigung ihres Bruders nicht dabei war.

Noch heute wird uns von ihr gesagt: »Er war mein Bruder, und ich hätte dabeisein müssen.«

Wenn wir ihr dann sagen, sie sei noch viel zu klein gewesen, antwortet sie immer, sie sei ja auch nicht zu klein gewesen, um zu verstehen, daß er nicht zu Hause war. Also bleibt zumindest in unserer Familie die Frage offen, ob es richtig war, daß wir sie damals nicht mitgenommen haben.

William Cowper hat einmal gesagt: »Das Wissen brüstet sich, weil es so viel weiß; die Weisheit aber ist demütig, weil sie so wenig weiß.« Daß dieser Satz wahr ist, zeigt sich besonders in den schweren Zeiten, in denen wir versuchen, unsere Kinder auf trügerischem Boden durch das Land der Trauer zu geleiten. Wir wußten so viel über Robbys Krankheit und meinten vorher so gut zu wissen, wie wir unseren Kindern helfen könnten, wenn der Ernstfall einträte. Und dann besaßen wir doch nicht genug Weisheit, um entsprechend zu handeln. Dale hätte sich niemals verlassen fühlen dürfen. Stacie hätte wahrscheinlich bei der Beerdigung dabeisein sollen. Wir waren nicht vorausschauend genug, weil wir vor Kummer blind waren.

In späteren Jahren können derartige Fehler von den Eltern zwar in ihrer Wirkung gemildert, aber sie können nicht mehr ungeschehen gemacht werden. Es bedarf großer Energie, großer Anstrengung und eines ehrlichen Bemühens um gute Kameradschaft, wenn die Leere, die der Tod eines Kindes hinterläßt, ausgefüllt werden soll. Aber die Mühe lohnt sich.

Wenn ein Kind gestorben ist, muß die Sorge um die überlebenden Kinder die Hauptaufgabe der Eltern werden. Sie muß ihnen wichtiger sein als ihr eigener Schmerz. Wenn diese Aufgabe rechtzeitig erkannt und angemessen erfüllt wird, bleibt die Familie als Lebensgemeinschaft erhalten. Man muß schon seine ganze Kraft zusammennehmen, um sich in solchen Zeiten auch noch um die Schmerzen anderer zu kümmern. Aber es ist ungemein wichtig, daß sich ein überlebendes Kind nicht allein gelassen fühlt. Nutze alle Reserven, die du hast, und laß dir zu Anfang des Trauerprozesses genug Zeit, um die Rolle des Getrösteten immer wieder mit derjenigen des Tröstenden zu vertauschen. Das bedeutet, daß du still bei deinem Kind sitzt und mit ihm sprichst oder liest oder mit ihm eine Schallplatte hörst. Seine Sehnsucht danach, daß du dich persönlich um es kümmerst, ist groß.

Laß die Disziplin in deinem Haus nicht zusammenbrechen. Disziplin und Ordnung bedeuten für ein Kind Sicherheit. Zieh ihm nicht jetzt, da es besonders darauf ankommt, den Boden unter den Füßen weg.

Halte aber Disziplin in einer ruhigen und entspannten Atmosphäre. Übermäßige Strenge tut selten gut. Und schon gar nicht in einer solchen Situation. Laß statt dessen Vernunft walten. Das ist nicht leicht, wenn man mit so viel Sinnlosigkeit konfrontiert ist, aber es ist unerläßlich, wenn du das, was von deiner Familie übrig geblieben ist, zusammenhalten willst.

Nimm dir die Zeit, mit jedem überlebenden Kind einzeln zu sprechen. Stelle ihm genügend Fragen, die gleich zu Anfang dazu beitragen, daß etwa vorhandene Schuldgefühle ans Licht kommen. Andernfalls schleppt sie dein Kind vielleicht jahrelang mit sich herum.

Erinnere das Kind an alle Freundlichkeiten – es gibt immer welche –, die es seinem toten Bruder oder seiner toten Schwester erwiesen hat.

Wenn das Kind schon älter als sieben Jahre ist, dann erkläre ihm, daß der bloße Wunsch, eine bestimmte Person wäre tot – ein ganz natürlicher Gedanke, wenn man außer sich vor Zorn ist –, noch nicht den Tod eines Menschen herbeiführt.

Sei vorsichtig mit religiösen Erklärungen, wenn du möchtest, daß dein Kind fromm bleibt. »Gottes Wille« ist kein Trost für ein Kind, das die Rollschuhe des Bruders im Kämmerchen stehen sieht und weiß, sie werden nie mehr benutzt.

Schimpfe nicht mit den Kindern, wenn sie im Anfangsstadium der Trauerzeit einmal lachen oder spielen. Kein lebendiger Mensch, er sei alt oder jung, kann einen solchen Schmerz auf einmal bewältigen, ohne dabei Schaden zu nehmen.

Zwinge Kinder nicht, auf den Friedhof zu gehen. Laß sie selbst die Initiative übernehmen. Manche Erwachsene brauchen mehr Zeit als andere, um bestimmte Dinge zu verarbeiten. Dasselbe trifft auch für Kinder zu.

Mach aus deinem normalen gut-schlechten Kind keinen Heiligen, nur weil es tot ist. Niemand kann mit einem Geist konkurrieren, schon gar nicht, wenn dieser überhaupt keine schlechten Eigenschaften hat. Es könnte sein, daß die lebendigen Kinder dann auf all das »Gute« genau entgegengesetzt reagieren, um Aufmerksamkeit zu erregen.

Denk daran, daß deine Kinder genauso leiden wie du selbst. Auch sie haben Angst vor der Übermacht ihres Schmerzes.

Versuch ihnen so natürlich wie möglich zu erklären, daß wir vieles am Tod nicht verstehen, und betone immer wieder mit Nachdruck, daß der Tod sich unserer Einflußnahme und Kontrolle entzieht.

Geh Gesprächen über das tote Kind nicht aus dem Weg. Es hat ja gelebt. Laß die überlebenden Kinder sich daran erinnern.

Das Leben bringt nicht nur Glück, und Geschwister, die einen solchen Verlust erlitten haben, werden ihr ganzes Leben lang eine gewisse Trauer im Herzen behalten. Gönne ihnen wenigstens eine lebendige Erinnerung.

Vor allem aber: Verbirg deinen eigenen Schmerz nicht. Für ein Kind kann es – abgesehen von der Zeit, die du ihm widmest – das größte Geschenk sein, wenn du es dazu ermutigst, seinem Kummer freien Lauf zu lassen. Erinnere es dann nur daran, daß der Verlust euch gemeinsam getroffen hat, wenn auch nicht jeden in derselben Weise.

Viele Kinder sehen in den ersten Wochen der Trauerzeit zum ersten Mal, daß ihr Vater weint. Natürlich soll der Vater ruhig weinen. Wenn er mit seinem Kind behutsam darüber spricht, entsteht aus diesem Erlebnis auch nicht notwendigerweise panisches Entsetzen.

Ein Vater erzählte, wie sehr ihn die Angst im Gesicht seines Jungen erschreckte, als dieser ihn weinen sah.

»Der Tod seiner Schwester war sowieso in vielerlei Hinsicht schwer für ihn. Zumindest das eine hat er aber daraus gelernt: Auch Männer können Schmerz empfinden und weinen.

Als ich seine Angst sah, ging ich mit ihm in sein Zimmer, legte die Arme um ihn und erklärte ihm, wie traurig ich über den Tod seiner Schwester war. Ich sagte ihm, daß Weinen nicht nur etwas für Mädchen und Mütter ist. Auch Buben und Väter haben das Recht, zu zeigen, wie traurig sie sind.

Und dann saßen wir beide eng umschlungen beieinander und weinten.«

Dieser Vater hatte in gewisser Weise Glück. Sein Sohn ging

nicht in einer Menge von wohlmeinenden, mitfühlenden Gästen des Hauses verloren.

Im Rückblick stellt es sich so dar, daß das Verlassenheitsgefühl meines Sohnes zum größten Teil daher rührte, daß wir alle ständig von so vielen hilfsbemühten Erwachsenen umgeben waren. Es wäre unserer Familie insgesamt besser bekommen, wenn wir irgend jemand gebeten hätten, uns doch für eine Weile – vielleicht für eine halbe Stunde – von den anderen abzuschirmen. Wir hätten ein wenig allein sein müssen. Viele falsche Vorstellungen hätten gleich zu Anfang von uns ausgeräumt werden können, wenn wir bloß gewußt hätten, daß wir einen Teil unserer Zeit ausschließlich unseren Kindern hätten widmen müssen.

Ich habe viele Teenager, Männer und Frauen interviewt, die in ihrer Kindheit den Tod von Geschwistern erlebt haben. In einer Hinsicht haben mich alle diese Gespräche sehr traurig gestimmt: Keine einzige interviewte Person konnte sich daran erinnern, während der Trauerzeit von seiten der Eltern irgendeine konkrete Hilfe erfahren zu haben. Ich konnte fragen und bohren, soviel ich wollte, in keinem einzigen Fall ist es mir gelungen, einem Beispiel dafür auf die Spur zu kommen, daß Eltern es fertiggebracht hätten, ihren eigenen Kummer hintanzusetzen und ihr Kind zu trösten.

Sicher habe ich dieses Buch nicht geschrieben, um Vorwürfe gegenüber anderen zum Ausdruck zu bringen. Das wäre das letzte, was ich beabsichtige. Aber wir sollten uns diese Lektion zu Herzen nehmen und unser Verhalten in der Trauerzeit überprüfen. Noch ist es nicht zu spät, zumindest einiges von dem, was wir falsch gemacht haben, wieder zurechtzurücken.

Wenn dein Kind mit unklaren Erklärungen abgespeist, in seinen Gefühlen verletzt oder in seinem Schmerz allein gelassen worden ist, dann fang jetzt noch einmal an, mit ihm darüber zu reden, und bring ehrlich alles auf den Tisch, was von den Eltern falsch gemacht worden ist.

Für viele Familien, mit denen ich gesprochen habe, schien diese Aufgabe die schwerste zu sein, die sich ihnen im Verlauf der Trauerzeit gestellt hat.

»Ich hasse es, das alles wieder aufzurühren«, sagte eine Mutter.

»Schließlich haben die Kinder doch ihre Beschäftigung und werden mit allem fertig. Warum soll man sie jetzt noch mal traurig machen oder gar zum Weinen bringen?« fragte ein Vater.

»Ich weiß nicht, was ich da sagen soll«, meinte eine andere Mutter. »Wir haben noch nie darüber gesprochen.«

Nun, vielleicht ist es an der Zeit, daß wir endlich einmal darüber sprechen. Das ist ja das Schöne am Umgang mit Kindern, die noch am Leben sind. Es muß nicht zu spät sein.

> Schlecht von den Toten zu sprechen ist ver-
> werflich – überhaupt nicht von den Toten zu
> sprechen ist noch viel verwerflicher.
>
> Anonymus

Für Eltern, die kein Kind durch den Tod verloren haben, ist es schwer, zu akzeptieren, daß man über ein totes Kind nicht nur sprechen kann, sondern sprechen muß.

Es gibt zwei grundlegende Voraussetzungen dafür, daß leidtragende Eltern ihr schweres Schicksal heil überstehen und weiterleben können. Die eine besteht darin, daß sie die Realität akzeptieren. Die andere, daß sie ohne Scheu über das tote Kind sprechen.

Mit Ausnahme einer Frau, die unser freimütiges Reden von Robby äußerst peinlich fand, sagten später die meisten Leute, deren Freundschaft uns erhalten geblieben ist, daß wir ihnen dadurch die ganze Sache eher erleichtert haben.

»Schließlich ist eine solche Situation so schwierig, daß ich einfach nicht wußte, wie ich mich verhalten sollte«, sagte ein Freund. »Ich hatte Robby so nahegestanden und stand auch euch so nahe, daß es mir eigentlich ein Bedürfnis war, über ihn zu sprechen. Da war ich richtig erleichtert, als ich merkte, daß ich das Thema gar nicht zu vermeiden brauchte.«

Eine weitere Schwierigkeit ergab sich, als uns nach und nach klar wurde, daß fast jeder, den wir kannten, ebenfalls Kinder in Robbys Alter hatte. Ich erinnere mich daran, daß ich fast die Zähne zusammenbeißen mußte, ehe ich es fertigbrachte, die eine oder andere Bekannte zu fragen, wie ihre Tochter in der Schule vorankam oder wie sich ihr Sohn in seinem Baseballteam machte. Aber ich spürte, daß ich diese Hürde nehmen mußte, wenn ich in den Beziehungen, an denen mir lag, wieder zur Normalität zurückfinden wollte.

So erinnert sich ein anderer Freund daran, wie hilfreich es für ihn war, daß ich die Initiative ergriff und nach seinen Kindern fragte.

»Es war ja so peinlich für mich, über sie zu sprechen. Da hatte ich nun diesen gesunden Jungen, der gerade Mitglied in einem Bowlingteam geworden war. Als ich euch begegnete, hatte ich richtig Angst, ich könnte vor euch damit herausplatzen, wie prächtig er sich machte. Ich wollte schließlich euren Schmerz nicht noch dadurch vergrößern, daß ich euch mit Berichten von den Fortschritten meines Kindes überfiel. Und dann war ich so erleichtert, als du mich eines Samstagabends im Restaurant gefragt hast, wie es Kenny ging. Irgendeine Spannung in unserer Beziehung löste sich damit.«

Erstaunlicherweise kann auch ich mich noch genau daran erinnern, wie ich diese Frage gestellt habe. Unsere beiden Jungen waren ziemlich gute Freunde gewesen. Ich weiß noch, welche Kraft es mich kostete, interessiert zu erscheinen, obwohl ich es in Wirklichkeit zu dem Zeitpunkt gar nicht war. Ich hatte eigentlich nur ein einziges Motiv für diese Frage: Ich wollte es einem guten Freund leichter machen und eine Schranke zwischen uns entfernen, die uns sonst vielleicht für immer getrennt hätte. Das gelang mir denn auch.

Völlig unverständlich ist es mir, daß Freunde und Angehörige so grausam sein und Eltern gerade in dieser Zeit allein lassen können. Aber im Verlauf meiner Untersuchungen bin ich zahllosen Ehepaaren begegnet, die wahre Schreckensgeschichten erzählten, so zum Beispiel die Geschichte eines Bruders, der seiner Schwester ursprünglich sehr nahegestanden hatte, der aber kurz nach dem Tod ihres Kindes aufhörte, sie zu besuchen oder auch nur anzurufen; oder die Erzählungen von Freunden, die nach der Beerdigung nie mehr etwas von sich hören lassen.

So groß auch die Probleme der Eltern sind, deren Kind an einer Krankheit, wie zum Beispiel Krebs oder Herzversagen, gestorben ist – unendlich viel größer und wohl kaum zu ermessen sind das Leid und die erschütternde Isolierung der Mutter oder des Vaters, deren Kind Hand an sich selbst gelegt hat. Diese Menschen leiden ja nicht nur unter Schuld und Einsamkeit. Nur zu oft werden sie auch von anderen verurteilt und geächtet.

»Mit zum Schlimmsten, was ich erleben mußte, nachdem Alan sich erschossen hatte«, sagte ein Vater, der seitdem zu trinken angefangen hat, »gehörte die Tatsache, daß meine früheren Freunde mir nicht mehr in die Augen sehen konnten. Es ist beinahe so, als hege einer von uns ein böses Geheimnis, das er nicht mit dem anderen teilen kann. Manchmal habe ich fast das Gefühl, daß diese Menschen uns sozusagen als Mörder betrachten. Meine Frau und ich wollen ihnen nicht mehr begegnen. Es tut uns zu weh.«

Vielleicht fängt diese Art von Entfremdung damit an, daß man nicht weiß, was man sagen soll. Aus diesem peinlichen Gefühl entstehen dann bei Freunden und Verwandten Millionen von Entschuldigungen dafür, daß man die leidtragenden Eltern nicht anruft. Ein Tag folgt dem anderen, und plötzlich entdeckt der Freund, daß jetzt schon ein Monat verstrichen ist, ohne daß er jenen schwierigen Telefonanruf getätigt hat. Immer mehr Zeit geht ins Land, und je peinlicher einem die Sache wird, desto dringender braucht man eine Entschuldigung. Die Ausflucht, man habe viel zuviel anderes zu tun, um anzurufen, wird immer gern in Anspruch genommen. Und bald ist alles schon so lange her, und die Sache ist so überpeinlich geworden, daß man am einfachsten alles schnell vergißt.

Auf Grund sorgfältiger Untersuchungen bin ich heute eigentlich der Meinung, daß – so unfair es auch scheinen mag – es Sache der leidtragenden Eltern selbst ist, ihre persönlichen Beziehungen aufrechtzuerhalten. Das heißt, gerade in einer Zeit, in der ihnen das besonders schwerfällt, ist es ihre Aufgabe, die Initiative zu ergreifen und jenen ersten Telefonanruf zu machen und jene erste Einladung auszusprechen.

Und ich gebe ihnen den dringenden Rat, diesen Versuch der Wiederaufnahme von Kontakten bei ihrem ersten Anruf nicht durch einen verdrießlichen oder vorwurfsvollen Ton zu gefährden.

»Warum hast du denn nicht einmal angerufen?«

»Wo bist du denn nur geblieben?«

»Was könnte es nach meinem Unglück Neues zu erzählen geben?«

Natürlich hat man unter Umständen derartige Gefühle, aber soll man ihnen auch Ausdruck verleihen? Ich meine, nein. Denn am Schluß des Gesprächs legt dann am anderen

Ende der Leitung nicht etwa ein Freund den Hörer auf, sondern nur ein Mensch, den du geärgert oder verletzt hast.

Schlag statt dessen lieber einen freundschaftlichen Ton an. Streck deinem Gesprächspartner die Hand entgegen. Der andere will dir ja im Grunde gern helfen. Du mußt ihm nur zeigen, wie.

Viele Menschen haben mir bestätigt, daß Eltern, die bereit sind, diesen ersten Schritt zu tun – sei es, daß sie von ihrem Kind reden oder sich nach dem Kind eines anderen erkundigen oder daß sie eine bestimmte Telefonnummer wählen –, letztlich selbst davon profitieren. Denn durch diesen ersten Schritt kann jener peinliche Stillstand der Beziehungen vermieden werden, der sonst vielleicht ein Leben lang währt.

Der Psychiater Elliot Luby hat wiederholt darauf hingewiesen, wie dringend leidtragende Eltern darauf angewiesen sind, daß Menschen in ihrer Umgebung ihnen helfen. Und doch macht er immer wieder die Erfahrung, daß die meisten Elternpaare verlassen und nur auf sich selbst gestellt sind.

»Hier sitzt im Grunde der Kern des Problems«, sagt er. »Im Verlauf des Trauerprozesses hängt alles daran, daß die Trauernden genug Unterstützung finden. Wenn mitfühlende und hilfsbereite Menschen da sind, kann dadurch die Intensität des Schmerzes entscheidend gemildert werden.«

Das Gespräch über ein totes Kind kann manchmal die seltsamste Form annehmen. Vor nicht allzu langer Zeit besuchte ich eine Frau, deren fünfundfünfzigjähriger Sohn an Herzversagen gestorben war. Er war verheiratet und Vater dreier Kinder gewesen. Zufällig hatten wir ihn gut gekannt. Während meines Besuchs fing die Frau plötzlich an, von irgendeiner Person zu erzählen und ihre Vorzüge in den leuchtendsten Farben zu schildern. Der Betreffende spielte niemals, trank keinen Tropfen Alkohol und war der einzige Mann, den die Frau kannte, der niemals fluchte.

Ich war nicht im Raum gewesen, als die Unterhaltung angefangen hatte, und es dauerte einige Minuten, bis ich begriff, daß sie von ihrem Sohn, unserem toten Freund, redete. Sie hatte es fertiggebracht, aus diesem normalen, netten Kerl eine Art Gott zu machen, und erzählte nun die großartigsten Geschichten über ihn.

Ich widersprach ihr nicht. Es hätte keinen Sinn gehabt. Aber irgendwie hatte ich das Gefühl, daß Lens Mutter nun doppelt betrogen war. Nicht nur, daß ihr Sohn tot war. Sie kannte ihn auch gar nicht mehr so, wie er wirklich gewesen war.

Und weil sie sich nicht mehr an den unverwechselbaren lebendigen Menschen erinnerte, konnte sie als seine Mutter ihm auch nicht mehr die größte Ehre erweisen, die wir einem Toten entgegenbringen können: ein unverfälschtes Gedächtnis.

Schon bald nach Robbys Tod, kurz nachdem wir verabredet hatten, über ihn zu sprechen, kamen mein Mann und ich auch überein, daß wir versuchen wollten, ihn so im Gedächtnis zu behalten, wie er wirklich gewesen war. Irgendwie – wir wußten selbst nicht, warum – schien uns das wesentlich zu sein.

Unser Sohn war manchmal lieb, manchmal böse, manchmal halsstarrig, manchmal zärtlich. Er war real. Wir haben versucht, ihn so lebendig im Gedächtnis zu behalten, ohne sein Bild zu verändern oder umzubiegen, und ich glaube, daß wir deswegen heute eine viel konkretere Erinnerung haben – nämlich die Erinnerung an einen lebendigen Menschen – als Eltern, die den Charakter ihres Kindes nach dessen Tod völlig umgestaltet haben.

Noch etwas anderes ist wichtig, wenn man in der Zeit der Trauer den Umgang mit anderen Menschen sucht: Man muß zugeben können, daß man Trost und Hilfe nötig hat. Ich denke an eine sehr freundliche und warmherzige ältere Dame. Sie ging oft zu Beerdigungen von Bekannten und bot dabei den trauernden Hinterbliebenen jede erdenkliche Hilfe an.

»Ich sagte den Leuten immer, sie brauchten bloß anzurufen. Ich wäre dann für sie da. Ich habe es nie verstanden – aber die Telefonanrufe blieben aus. Vor etwa einem Jahr rief ich eine verwitwete Freundin an und fragte, wie es ihr ginge. Sie sagte, es ginge ihr ganz gut, und obwohl ich das nicht glaubte, hatte ich irgendwie das Gefühl, ich könnte nicht mehr aus ihr herausbekommen.

Vor kurzem starb mein Sohn an einem langwierigen Krebsleiden. In der ersten Zeit gab ich Leuten, die mich anriefen, dieselbe nichtssagende Antwort, die mir meine Freunde auf die Frage nach ihrem Ergehen in früheren Zeiten gegeben hatten. Ich sagte also, es ginge mir gut. Wunderbar, sozusagen.

Als die Telefonanrufe allmählich aufhörten, ging mir auf, daß irgend etwas falsch gelaufen war. Und plötzlich wurde mir auch klar, was. Ich war in denselben Fehler verfallen wie die anderen und hatte den Leuten, die sich um mich kümmern wollten, die gleichen Hindernisse in den Weg gelegt, die meine Freunde früher vor mir aufgebaut hatten.

Beim nächsten Telefonanruf einer Freundin biß ich die Zähne zusammen und sagte die Wahrheit. Ich sagte, ich sei todunglücklich. Ich könnte es kaum ertragen, daran zu denken, daß mein Sohn mich nie mehr besuchen oder anrufen würde. Ich redete ganz offen mit der Frau und sagte, ich brauchte ihre Hilfe und ihre Gesellschaft. Ich lud sie zum Essen ein.

Meine Freundin war froh darüber, daß ich ihr ehrlich gesagt hatte, wie es um mich stand. Sie akzeptierte auch dankbar, daß ich ihr gesagt hatte, wie sie mir helfen konnte. Seitdem habe ich nie mehr die ›Es-geht-mir-prima‹-Platte aufgelegt.«

Das Wichtigste, das man aus dieser Geschichte lernen kann, ist wohl die Tatsache, daß die Menschen im Grunde gutwillig sind. Meiner Erfahrung nach sind sie wirklich ehrlich bemüht, dem anderen zu helfen. Schließlich ist es ja auch kein angenehmes Gefühl, wenn man weiß, daß man eine leidtragende Familie im Stich gelassen hat.

Aber, wie so oft, müssen die Menschen auch hier angeleitet werden. Sie müssen gezeigt bekommen, wie sie helfen sollen. Und so bleibt die Verantwortung für die Aufrechterhaltung persönlicher Beziehungen sehr oft bei den Leidtragenden. Wir sind diejenigen, die den rechten Ton anschlagen und die rechte Weise des Vorgehens erspüren müssen. Tun wir das nicht, so kann es sein, daß es keiner tut.

Nimm Verbindung zu deinen Freunden auf. Frag, wie es ihnen und ihren Angehörigen geht. Sprich offen und selbstverständlich mit ihnen, damit auch sie sich frei von jeder Peinlichkeit fühlen. Sei nicht unehrlich und spiele ihnen nicht vor, es ginge dir herrlich, wenn das nicht zutrifft. Lade irgend jemanden zum Kaffee ein. Oder schlag eine gemeinsame Mahlzeit in einem Restaurant vor. Wenn man in der Öffentlichkeit ist, fällt es einem oft leichter, die eigenen Emotionen unter Kontrolle zu halten, und es könnte sein, daß du dann von der Begegnung mit einem anderen Menschen mehr hast. Achte darauf, daß du dir ein gewisses Gespür für dein inneres Gleichgewicht bewahrst.

Du solltest nicht weinerlich sein; aber auch fröhlich brauchst du nicht zu sein. Sei du selbst, denke aber daran, daß die anderen es gut meinen, auch wenn sie vielleicht dabei oft ungeschickt sind.

Ich erinnere mich daran, daß wir kurz nach Robbys Tod von guten Freunden zum Essen eingeladen wurden. Es war das erste Mal, daß wir ausgingen. Als wir in das Eßzimmer kamen und uns zu Tisch setzten, fiel uns plötzlich auf, daß ein Gedeck zuviel aufgelegt worden war.

Meine Freundin, die uns in unserer schweren Zeit treu beigestanden hatte, hatte mechanisch für dieselbe Anzahl von Leuten wie früher gedeckt. Wir alle sahen das Gedeck im gleichen Augenblick. Ich nahm es fort, spottete ein wenig über unsere Gastgeberin, weil sie nicht zählen konnte, und überspielte so die zwar kleine, aber im Grunde fürchterliche Episode. Weil ich so reagierte, gelang es ihr, die aufsteigenden Tränen zu unterdrücken und uns die Mahlzeit zu servieren, die sie so umsichtig zusammengestellt hatte.

Es ist durchaus möglich, eigentlich sogar wahrscheinlich, daß du beim ersten Versuch, irgendeine Initiative zu ergreifen, scheiterst. Und zwar gründlich. Aber beim zweiten Mal ist es dann leichter, und am Ende wirst du wieder die Kunst beherrschen, dich unter Menschen zu begeben und mit ihnen umzugehen, auch wenn du ein trauernder Hinterbliebener bist.

Die Religion

Die meisten Leute haben irgendeine Art
von Religion – zumindest wissen sie, wel-
cher Kirche sie sich entfremdet haben.

John Erskine

Viele verwirrende Gefühle stürzen über leidtragende Eltern
herein. Am verwirrendsten sind vielleicht diejenigen Empfindungen, die mit der eigenen Haltung gegenüber der Religion
zusammenhängen.

Wenn ein Kind stirbt, wenden sich offenbar viele Familien
einer institutionalisierten Religion zu. Hier ist eine Art Glau-
bensanker; hier ist etwas, an das sie sich halten können, etwas, das ihnen Halt verleiht.

Unabhängig von ihrer jeweiligen Glaubenszugehörigkeit
brauchen viele Menschen anscheinend die Überzeugung, daß
eine göttliche Vorsehung den Tod ihres Kindes bewirkt hat.
Diese Überzeugung hält sie aufrecht. Sie können sich damit
trösten, daß dieser Tod kein völlig nichtssagendes, sinnloses
Geschehen war. Sie fühlen, daß Gott damit einen höheren
Plan verfolgt hat, und ihr geliebter Jimmy oder ihre kleine
Joanie sind Teil dieses Planes.

Ich glaube, daß diese Menschen in gewisser Weise vom
Glück begünstigt sind. Denn ihnen bleibt das Gefühl absolu-
ter Sinnlosigkeit erspart. Religiöse Menschen können sich
fragen: »Warum ist mir dies widerfahren?«, und sie brauchen
sich dabei innerlich nicht völlig zu zermürben. Sie können
sich viele Antworten geben.

Ein uraltes Beispiel dafür ist die Geschichte von der Frau
eines allgemein verehrten, weisen Rabbi. Die Zwillingssöhne
der beiden starben, während der Vater fort von zu Hause
war.

Da die Frau wußte, wie sehr ihr Mann an den Knaben
hing, beschloß sie, ihm von dem unglückseligen Geschehen
erst zu berichten, nachdem er sich durch eine Mahlzeit gestärkt hatte. Als der Rabbi heimkam, fragte er wiederholt

nach seinen Söhnen. Seine Frau antwortete ihm jedesmal: »Sie sind nicht zu Hause.«

Nach dem Essen setzte sie sich zu ihm und sagte: »Du bist ein weiser und gelehrter Mann. Hilf mir, auf ein bestimmtes Problem eine Antwort zu finden. Stell dir vor, dir würden zwei kostbare Juwelen geliehen, und der Besitzer sagte dir, du könntest dich an ihnen freuen, solange sie dir überlassen wären. Wenn er sie nun zurückforderte, könntest du dann mit ihm darüber streiten?«

Der Rabbi überlegte eine Weile und sagte dann: »Natürlich nicht.«

Da stand seine Frau auf, führte ihren Mann in die Kammer, in der die beiden Toten lagen, und sagte: »Gott wollte seine Juwelen zurückhaben.«

Am glücklichsten sind die Menschen, denen die Vorstellung, daß ihr Kind bei Gott ist, Frieden bringt. Diese Eltern quälen sich nicht ständig mit dem Gedanken herum, wie sinnlos doch der Tod ihres Kindes war. Und selbst wenn solche Eltern »Warum?« fragen, so haben sie doch eine Antwort – eine Antwort, die denen nicht genügen kann, die nicht glauben.

Zwar gibt es keine statistischen Angaben darüber, ob leidtragende Eltern sich eher der Religion zu- oder aber von ihr abwenden, aber es ist zumindest keine Frage, daß viele Elternpaare zu der zweiten Gruppe gehören.

Warum? Vielleicht aus Bitterkeit oder aus Enttäuschung. Oder – im Fall einer längeren Krankheit – weil Gott die Gebete der Eltern nicht erhört hat. Menschen, die vorher zutiefst religiös waren, haben sich von der Religion abgewendet.

Viele leidtragende Eltern fühlen sich von Gott betrogen. Als ihr Kind krank war, haben sie an allen möglichen Orten Hilfe gesucht. Sie gingen zu Ärzten und in Krankenhäuser und machten gewöhnlich die Erfahrung, daß die Menschen sich alle erdenkliche Mühe gaben, ihnen zu helfen. Dann, im Augenblick äußerster Not, wendeten sie sich an Gott und baten ihn um Hilfe. Aber er reagierte nicht. Und jetzt, in ihrem Leid, wollen sie sich nicht mehr durch den Glauben an ihn trösten lassen.

Starb das Kind durch einen Unfall, so werden die Eltern noch viel eher geneigt sein, sich von Gott abzuwenden. Warum hat er ihre Tochter nicht beschützt, während sie Auto fuhr oder schwamm? Warum war Gott nicht in Deutschland, Korea oder Vietnam?

Natürlich gibt es auf solche Fragen leidtragender Eltern keine abschließend zufriedenstellende Antwort. Die Entscheidung, ob sie glauben oder nicht, liegt bei ihnen, und niemand kann sie ihnen abnehmen.

Es gibt eine Geschichte von einer Mutter, die ihrem Sohn ständig Vorwürfe machte, weil er nicht gern zur Kirche ging. »Du gehst ins Kino, weil du Unterhaltung suchst. Du gehst zu deinen Freunden, weil du dich amüsieren willst. Meinst du nicht, du solltest wenigstens einmal in der Woche auch für eine Stunde in Gottes Haus gehen?«

Der Junge überlegte ein wenig und sagte dann: »Aber, Mutti, was würdest du denn denken, wenn du von einem anderen eingeladen würdest und jedesmal, wenn du hingingst, wäre der Bursche nicht zu Hause?«

Es gibt Erwachsene – leidtragende Eltern –, die genauso denken. Für sie ist die Bewältigung ihrer Trauer um so schwieriger.

Der Dichter James Russell Lowell schrieb vor beinahe hundert Jahren nach dem Tod seiner Tochter Rose ein Gedicht. Hierin wird der Denkprozeß eines leidtragenden Vaters, der sich von der Religion abgewendet hat, nachgezeichnet. Es trägt die Überschrift: ›Nach der Beerdigung‹.

Ja, der Glaube ist wie ein Anker;
wenn der Himmel mild wie ein Psalm,
dann ruht er vor Bug so verläßlich,
unerschütterlich, unbeirrt, treu.

Und wenn auch die tobenden Wellen
in Brechern leewärts gehn,
der Glaube läßt ruhig und gelassen
dem Sturm uns entgegensehn.

Doch dann, nach dem Schiffbruch, sag mir,
was hilft seine stählerne Kraft?
Er ruht wohl auf Meeresgrunde,
doch es riß das Tau, das ihn faßt.

Wir tasten und suchen nach Stütze
im Abgrund von Schmerz und Leid –
nirgends Boden, kein Halt, nichts Gewisses,
alles trügt, alles schwankt, alles weicht.

Dann lieber ein Stern der Erinn'rung,
eine Planke, zerbrochen, von einst,
daß das traurige Herz sie umklammre,
dem die Hoffnung auf Rettung entschwand.

Der Geist mag philosophieren,
die Verzweiflung bleibt dann dem Fleisch
beim Anblick des offenen Sarges,
des vom Tod nicht gezeichneten Haars.

Unsterblich? – Natürlich, das weiß ich,
wer zweifelte daran bei ihr?
Doch hier liegt des Schmerzes Geheimnis:
unsterblich – weit fort von mir.

So schmal auf dem Friedhof die Grube,
ein Kind spränge drüber im Lauf.
– Mir scheint sie unendlich viel weiter
als die Leere des Weltenraums.

Du sprichst logisch, mein Freund, und moralisch,
du hast recht – doch ich höre es nicht.
Denn es klingt mir im Ohr noch das Dröhnen
der Erde auf ihrem Sarg.

Sprich Trost, wenn du willst, ich kann's tragen,
es ist freundlich gemeint und gut;
aber Predigen seit Adams Tagen
hat aus Tod nichts gemacht als Tod.

Es ist heidnisch – doch wart', bis *du* fühlest
der Erde Beben, die Qual,
die dich faßt, wenn die Pflugschar des Schmerzes
sich tief in die Seele dir gräbt.

Gemeinschaft im Geiste? – Verzeih mir,
denn ich bin irdisch und schwach

und gäbe die Wonnen des Himmels
für ihre liebkosende Hand.

Ihr kleiner Schuh in der Ecke,
getragen, zerschlissen und braun –
er ist leer. Sieh, er widerlegt dich
und spricht deiner Klugheit Hohn.

Es überrascht nicht, daß Lowell später anmerkte, dieses Gedicht habe auch solche Menschen tief berührt, die im allgemeinen keinen Zugang zu Gedichten haben.

Vielleicht liegt der Grund für dieses Angerührt-Sein darin, daß in diesem Gedicht viele Gedanken laut werden, über die man sonst nicht spricht, weil sie für Nicht-Leidtragende so unangenehm sind.

Kürzlich unterhielten wir uns mit anderen über die Religion im allgemeinen. In diesem Gespräch sagte auch ein Freund, der nicht regelmäßig zur Kirche geht, was er von Gott und von dem Glauben an ihn hält. Mir kamen seine Gedanken sehr einleuchtend vor. Vielleicht sind sie auch hilfreich für Menschen, die auf Gott zornig sind, weil er ihr Kind hat sterben lassen.

Er sagte: »Das Schlimme ist, daß die Menschen sich Gott viel zu sehr als Person vorstellen. Sie meinen, er säße da und wartete nur darauf, von ihnen zu hören. Das ist doch einfach lächerlich. Es ist doch völlig unmöglich, daß er jeden Einzelnen von uns hört. Wir müssen uns Gott vielmehr als eine Kraft vorstellen, die diese Welt geschaffen hat und ihr Geschick im großen lenkt. Ich glaube nicht daran, daß Gott individuelle Gebete erhört.«

Diese Philosophie meines Freundes kommt mir recht überzeugend vor. Einst war ich tiefreligiös. Dann war ich eine Zeitlang fast gänzlich unreligiös. Und nun bin ich irgendwo dazwischen, und diese Weltanschauung leuchtet mir ein. Ich kann gut damit leben.

Stephen Crane hat dieser Sicht der Dinge in einem seiner Gedichte prägnanten Ausdruck gegeben. Nach seiner Meinung funktioniert die Welt folgendermaßen:

»Ein Mann sagte zum Universum: ›Herr, existiere!‹ ›Aber‹,

sagte das Universum, ›diese Aufforderung hat mich zu überhaupt nichts verpflichtet!‹«[*]

Im Grunde hat Crane dasselbe gesagt wie mein Freund.

Bei Robbys Tod war ich noch tief religiös, und das hat mir – ohne daß ich das im Grunde bewußt beabsichtigte – im ersten Jahr sehr geholfen, und zwar auf ganz praktische Weise.

Im jüdischen Glauben gibt es ein Gebet, das sogenannte Kaddisch, in dem der Beter Gott rühmt. Juden, die einen teuren Angehörigen verloren haben, gehen täglich, oder so oft sie wollen, zum Gottesdienst und beten zum Gedächtnis des Toten das besondere Trauer-Kaddisch. Die Tradition verlangt, daß das Trauer-Kaddisch nur von Männern gebetet werden soll, aber irgendwie – ich weiß bis heute nicht, warum – fühlte ich ein großes Bedürfnis, mich über diese Tradition hinwegzusetzen und selbst jeden Tag zum Gotteshaus zu gehen und an diesem Gottesdienst teilzunehmen. Nach kurzer Zeit wurde daraus eine regelmäßige Übung.

Ich wußte, daß ich an jedem Tag an einen vorgeschriebenen Platz zu gehen und bestimmte Worte zu sprechen hatte, die sowohl ein Gebet für meinen toten Sohn als auch die Bitte um mein eigenes Heil beinhalteten. Zu Anfang war das eine schmerzliche Pflicht. Aber nach einiger Zeit entwickelte ich einige Übung darin, meinen Tagesablauf nach dem abendlichen Kaddisch-Gottesdienst zu richten. Manchmal begleiteten mich meine Kinder. Manchmal ging ich mit meinem Mann. Oft ging ich allein.

Heute bin ich zu der Erkenntnis gekommen, daß dieses Ritual Wesentliches zu meiner Gesundung beitrug. Die regelmäßige Übung ließ mich jeden Tag erneut der furchtbaren Wahrheit ins Gesicht sehen und brachte mich schließlich dahin, daß ich meinen Verlust akzeptierte. Ich glaube, daß ich auf diese Weise ein wenig schneller und wohl auch ein wenig sanfter durch den Trauerprozeß geleitet wurde als andere, die allein der Gewalt ihres Schmerzes begegnen mußten.

Ein religiöser Glaube ist für Eltern, deren Kind gestorben ist, eine unschätzbare Hilfe. Er vermittelt ihnen Trost, und

---

[*] Stephen Crane: War Is Kind. Gedichte. 1899

er kann demjenigen, der bereit ist zu hören, eine Antwort auf das quälende »Warum?« geben. Aber wer realistisch ist, wird zugeben, daß weite Teile unserer Bevölkerung nicht religiös sind. Sie glauben weder an Gott, noch halten sie etwas von offiziellen kirchlichen Gebeten oder Andachten. Und doch glaube ich, daß es auch für solche Leute – wenn sie von einem Trauerfall betroffen sind – eine Methode gibt, mit deren Hilfe sie sich ein wenig Erleichterung in ihrem Kummer verschaffen können. Diese Methode ist der meinigen ganz ähnlich.

Wenn es für die Konfession, der du angehörst, keine täglichen Gottesdienste gibt oder wenn du nicht an ihnen teilnehmen willst, dann halte an jedem Tag zehn Minuten für dich frei, und zwar immer um dieselbe Zeit. Such dir einen bestimmten Stuhl in einem bestimmten Zimmer aus und geh jeden Tag dorthin. Nimm dir bestimmte Sätze vor – zum Beispiel das folgende Gebet von Oetinger –, wiederhole sie jeden Tag und denke über sie nach, während du sie sprichst:

>»Gott gebe mir die Gelassenheit,
> die Dinge anzunehmen, die ich nicht ändern kann;

> den Mut, die Dinge zu ändern,
> die ich ändern kann;

> und die Weisheit,
> beides voneinander zu unterscheiden.«

Wer nicht an Gott glaubt, möge die erste Zeile umändern: »Ich brauche die Gelassenheit . . .«

Viele Dichter haben sich mit dem Tod beschäftigt und dabei neue Einsichten gewonnen. Such dir für deine zehnminütige Übung entsprechende Verse aus. Sieh sie im einzelnen durch. Zweifellos wirst du in ihnen Gedanken finden, die du an jedem Tag von neuem durchlesen kannst.

John Greenleaf Whittier hat ein Gedicht mit dem Titel ›Vergebung‹ geschrieben. Beim näheren Umgang mit diesem Text stellt man fest, daß er gut als eine Botschaft für leidtragende Eltern gedeutet werden kann, die Zorn und Schmerz empfinden, aber nicht beten können oder wollen. Wenn man diese Worte sorgfältig liest, kann es eigentlich nicht anders sein, als daß der Hader mit dem eigenen Schicksal, den wir alle so gut kennen, zumindest zum Teil schwindet.

Mein Herz war schwer,
denn sein Vertrauen war getäuscht,
und seiner Güte Antwort war Verrat.
Betrogen und betrübt sucht' ich die Einsamkeit,
verließ die Menschen, ging zum Friedhof hin,
wo zwischen grünen Hügeln ruhiger ward mein Sinn;
und ich bedacht', wie Menschenlieb' und -haß
erreicht das gleiche dunkle Ziel; ob früh, ob spät,
einst ruht der Übeltäter neben dem,
der Übles litt; gelöst und weich ist ihr Gesicht,
stumm ist der Mund, und kalt sind Hand und Herz.
Dorthin geht jeder Fuß, von dort gibt's kein Zurück.
Entsetzen packt' mich vor der Menschen Los,
und Grauen vor des Todes Macht, die alle faßt,
rührt' meinen Stolz, daß zitternd ich verzieh.

Nutze die zehn Minuten zu intensivem Nachdenken. Beschäftige dich entweder mit Gedichten, oder bleibe ganz in der Einsamkeit. Vielleicht kannst du auch an dein totes Kind denken; aber hüte dich davor, daß es zehn Minuten der Hysterie werden. Und wenn die Zeit herum ist, zwinge dich dazu, vom Stuhl aufzustehen und etwas Aktives zu tun. Es muß etwas sein, wozu du körperliche Energie brauchst, nicht nur einfach etwas Passives wie zum Beispiel Fernsehen. Vielleicht solltest du die zehn Minuten in die Tageszeit legen, in der du am meisten zu tun hast, denn dann kannst du sicher sein, daß du nach Beendigung der Übung auch tatsächlich aufstehst und dich kräftig bewegst. Auf diese Weise trägst du dazu bei, daß dir diese zehn Minuten der Einkehr auch wirklich förderlich sind.

Menschen, die nicht an ein höchstes Wesen glauben, haben nichts Unsichtbares, an das sie sich halten können. Und so haben sie, wenn sie ein Kind verlieren, im Grunde an einer doppelten Last zu tragen. Sie bleiben nicht nur allein mit der

Leere, die der Tod zurückläßt; sie müssen außerdem noch dem Gedanken standhalten, daß es keinen göttlichen Plan gibt. Das Unglück hat sie überfallen, und sie haben nicht einmal den Schimmer einer Hoffnung auf ein anderes Leben.

Ein Vater, der nach seinen eigenen Worten ein Atheist der zweiten Generation ist, beschrieb die Gefühle, die ihn nach dem Tod seiner Tochter umtrieben.

»Ich beneide euch, die ihr glaubt. Mein Verstand gewährt mir diese Freiheit nicht. Seit Betty gestorben ist, habe ich erfahren, daß es in diesem Leben nur wenig Trost für mich gibt. Für einen Ungläubigen, der dem Tod seines Kindes standzuhalten hat, gibt es kaum einen Ort der Zuflucht. Es gibt keinen Supermann in nächster Nähe, der ihm Hoffnung schenken kann.«

Dann wendete sich dieser Vater an meinen Mann und mich und fragte uns direkt, was für eine Hoffnung uns unsere Religion eigentlich gäbe, was sie uns eigentlich verspräche?

Wir sind beide nicht dogmengläubig, und ich antwortete ihm daher, nach einiger Überlegung, recht vorsichtig.

»Mein Glaube verleiht mir die Hoffnung, daß Robby keinen sinnlosen, zufälligen, vergeblichen Tod gestorben ist. Sondern daß dahinter eine Art Plan stand. Ein denkender Wille.«

Der Atheist war ganz Verachtung. Wir wußten nicht recht, was wir sonst noch sagen sollten. Dann fragte ich ihn, was er unternähme, um nach und nach seiner Trauer Herr zu werden.

»Ich denke sehr oft über meine Tochter und ihre Krankheit nach. Meine Hauptstütze aber sehe ich in den Versammlungen von Eltern, deren Kind an derselben Krankheit gestorben ist.

Immer wenn dort die Rede auf die Religion kommt, halte ich meinen Mund. Aber eins muß ich Ihnen doch sagen: Wenn es einen Gott gibt, dann muß Er ein Sadist sein, der verlangt, daß die Menschen sich vor Ihm beugen und Ihn verehren, während Er sie mit der Peitsche schlägt.«

Ich glaube an Gott und finde solche Gedanken recht unerfreulich. Aber wenn ich schon ein solches Buch schreibe, kann ich derartige Anschauungen nicht einfach unterschlagen oder als unbedeutend abtun. Mir sind zu viele leidtragende Eltern begegnet, die genauso denken.

Eine Frau, die stolz darauf ist, daß sie es allmählich lernt, ohne einen Glauben an Gott auszukommen, sagte: »Ich erinnere mich an mein Kind. Aber wenn ein Mensch das Gefühl hat, daß er ganz auf sich allein gestellt ist und daß es auch von ihm allein abhängt, ob er überleben wird, dann muß er alle Dinge gründlich durchdenken. Nicht das, was geschieht, ist das Wichtigste, sondern wie man das betreffende Geschehen verarbeitet und bewältigt.

Ich gehe ungefähr alle zwei Monate auf den Friedhof. Nicht deswegen, weil ich etwa glaubte, daß der Geist meines Kindes mir dort nahe wäre, sondern einfach, weil ich es dort zum letzten Mal gesehen habe. Ich gehe hin und denke nach und weine. Mag sein, daß sich das traurig anhört, aber ich finde es sehr heilsam.«

Einige nicht-glaubende Elternpaare haben sich verschiedenen Organisationen angeschlossen, denen ausschließlich leidtragende Personen angehören. Diese Gruppen beschäftigen sich insbesondere mit dem Trauerprozeß und allen damit zusammenhängenden Problemen. Am hilfreichsten scheinen derartige Treffen dann zu sein, wenn sie regelmäßig stattfinden. Für manche Unreligiöse sind solche Versammlungen nach eigener Aussage von geradezu unschätzbarem Wert.

So machte zum Beispiel ein Mann eine ziemlich interessante Beobachtung. »Im allgemeinen nehmen die Leute eine defensive Haltung ein, wenn ich ihnen sage, daß ich nicht an die Existenz Gottes glaube. Aber immer wieder verwundert mich die Tatsache, daß mir auf solchen Versammlungen leidtragender Eltern längst nicht so viel Feindseligkeit begegnet wie anderswo, wenn ich darüber spreche.

Ich glaube, daß diese Leute alle irgendwie das Gefühl haben, daß sie gegenüber fremden und ungewohnten Ideen aufgeschlossener sein müssen, als es die Menschen sonst normalerweise sind.

Ich merke das auch an mir selbst. Während ich im allgemeinen immer rasch dabei bin, Leute, die an Gott glauben, zu verspotten, kann ich das bei diesen Treffen nicht von mir sagen.«

Dieser Mann reagierte also völlig anders als der oben erwähnte Vater, der einfach abschaltete, wenn die Rede auf das Thema Religion kam. Aber wer mit anderen leidtragenden Eltern zusammenkommt, hat auch die Gelegenheit, seinem Herzen Luft zu machen und zu sagen, was er denkt, und vielleicht dabei selbst auch neue, positive Erkenntnisse zu gewinnen.

Offensichtlich hat es der unreligiöse Mensch besonders schwer mit seinem Schmerz. Während gläubige Menschen sich mit dem Gedanken zufriedengeben können, daß sie einst erfahren werden, warum ihr Kind gestorben ist, muß der Ungläubige selbst sehen, ob er diesem Schicksalsschlag einen Sinn abgewinnen kann oder nicht.

Während religiöse Menschen wissen, daß sie schließlich zuletzt wieder mit ihrem Sohn oder ihrer Tochter vereint sein werden, müssen Atheisten akzeptieren, daß das, was sie mit und an ihrem Kind gehabt haben, alles ist und alles bleibt. Es kommt nichts mehr dazu – höchstens ihre Erinnerungen.

Während Gläubige an ganz bestimmte Orte gehen, dort um Hilfe bitten und sich von altehrwürdigen Überlieferungen tragen lassen können, muß sich der Atheist auf seine eigene innere Stärke verlassen. Er hat nichts sonst.

Kurz und gut, die Last, die der Nicht-Glaubende zu tragen hat, ruht ganz und gar auf seinen eigenen Schultern. Man braucht schon viel Kraft und Stärke, wenn man allein hindurchgehen muß.

Wichtig ist nun, daß dieses Allein-Hindurchgehen wirklich nur im Hinblick auf die religiöse beziehungsweise nicht-religiöse Einstellung des Betreffenden gilt. An Glauben fehlt es ihm; es darf ihm aber nicht auch noch zusätzlich an Menschen fehlen, die ihm helfen!

Ein Freund, ein Berater, eine Organisation von Menschen, die von dem gleichen Unglück heimgesucht sind – hier öffnen sich Wege, die alle Nicht-Religiösen gehen sollten. Was für alle anderen Bereiche der Trauer gilt, gilt auch hier: Andere Menschen sind für einen Leidtragenden die wichtigste Hilfe.

Auch für diejenigen, die an Gott glauben, sind Freunde, mit denen sie sprechen und bei denen sie sich ausweinen können, von unschätzbarem Wert.

> So groß ist meine Beklemmung bei Tag und
> bei Nacht, daß ich sterben müßte – könnte
> ich nicht lachen.
>
> Abraham Lincoln

Häufig leben leidtragende Eltern wie in einer verkehrten Welt. Sie sind nicht mehr imstande, die Dinge, die sie sehen, zu beurteilen oder in ihrem Wert zu erkennen. Eine dunkle Wolke überschattet alles, trübt die Wahrnehmung, verzerrt die Perspektive.

Nur zu oft gehen diese Eltern wie betäubt durchs Leben. An wunderbaren, schönen oder auch nur einfach unterhaltsamen Dingen gehen sie vorbei, ohne diese als solche zu erkennen. Noch schlimmer ist, daß sie nicht einmal wissen, wie wichtig es für sie wäre, daß sie wieder richtig sehen lernten.

In Wirklichkeit hindert sie nämlich gerade ihre Unfähigkeit, Freude oder Vergnügen in ihrer Existenz zu akzeptieren, daran, wieder in die normale Welt der Lebendigen zurückzukehren. »Wie könnte ich je wieder lachen?« »Wie könnte ich jemals wieder froh werden, nun, da mein Kind tot ist?« – so etwa denken sie. Aber schließlich ist Freude eine der wichtigsten Hilfen zum Überleben. Wir müssen diese Hilfe nutzen, wenn wir den Kampf, den wir nach dem Tod unseres Kindes zu führen haben, bestehen wollen.

Vier Monate nach Robbys Tod machten wir die ersten Schritte zurück in die Welt des Vergnügens. Wir fuhren übers Wochenende nach Las Vegas.

Ich erinnere mich daran, wie ich in einem Nachtklub von den umwerfenden Späßen eines bekannten Komikers einfach überwältigt wurde und so viel lachen mußte, daß mir die Seiten schmerzten. Dieses intensive Lachen war für mich so etwas wie ein Reinigungsprozeß.

Gewiß, ich mußte dann hinterher auch für mein Vergnügen zahlen. Im Hotelzimmer weinte ich mit derselben Hemmungslosigkeit, mit der ich zuvor gelacht hatte. Aber wichtig war und blieb, daß ein erster Schritt getan, daß ein Anfang gemacht war.

Nach jener Reise nach Las Vegas gab es Zeiten, in denen ich mich davor fürchtete, auszugehen und mir etwas Abwechslung zu suchen. Denn ich dachte an die Intensität, mit der mich der Schmerz im Hotelzimmer überfallen hatte. Es schien mir, als sei ein klein wenig Vergnügen diese Mühe nicht wert. Schließlich war der Preis dafür am Ende doch bloß neue Qual.

Nicht nur ich erlitt diese Qualen. Meinem Mann erging es ebenso. Trotzdem redeten wir uns gegenseitig zu und fuhren fort, uns eines gewissen gesellschaftlichen Lebens zu »erfreuen«.

Im Rückblick erkenne ich, daß ich jedesmal, wenn ich zu einer Unterhaltungsveranstaltung ging, stärker wurde. Und schließlich kam ich auf diesem Wege allmählich dahin, daß ich mich tatsächlich wieder an vielem freuen konnte. Heute gibt es für mich so viel Schönes, wie ich es mir unmittelbar nach Robbys Tod nie hätte träumen lassen.

Viele andere Menschen, denen ein Kind starb, haben ähnliche Erfahrungen gemacht. Ob der erste Schritt nun ein Gang ins Kino war oder ein Essen im Restaurant oder ein Kartenspiel – der Anfang war fürchterlich.

Die Männer, die ja gewöhnlich für den Unterhalt der Familie sorgen müssen, haben im allgemeinen gar nicht die Wahl, ob sie ihr Haus verlassen wollen oder nicht. Zum ersten Mal wieder auszugehen und etwas Unterhaltung zu suchen, fällt ihnen daher oft nicht ganz so schwer wie ihrer Frau, die sich bisher zu Hause hat verstecken können.

Ich denke hier zum Beispiel an einen Ehemann, der zusehen mußte, wie seine Frau daheim immer tiefer in ihrem Gram versank, während er durch seinen Beruf gezwungen war, seine Trauer zu überwinden – jedenfalls nach außen hin.

Drei Monate nach dem Tod seiner Tochter beschloß er, mit seiner Frau in ein vornehmes Restaurant essen zu gehen. Er wollte ihr auf diese Weise helfen, sich der düsteren Atmosphäre ihrer Wohnung zu entziehen. Der Abend wurde zu einem völligen Fiasko. Die Frau saß in dem eleganten Speisesaal und weinte.

Wenn auch das festliche Mahl sozusagen ein Schlag ins Wasser war, so wußte der Mann doch bereits, während er noch im Restaurant saß, daß er eine Art Sieg errungen hatte.

Ein anderes Problem, das sich nach dem Tod eines Kindes ebenfalls stellt, ist die Frage des Urlaubs, vor allem des gemeinsamen Familienurlaubs. Am Anfang weiß man mit Sicherheit, daß man überhaupt nicht verreisen kann. Man kann doch nichts genießen. Wenn man sich aber um der Kinder willen – oder auch, weil man selbst verzweifelt eine Abwechslung nötig hat – doch zu einer Urlaubsreise entschließt, dann ist es wichtig, daß man sich für die Heimkehr innerlich wappnet. Sie ist entsetzlich.

Wir hatten jahrelang in unseren Ferien gezeltet. Als wir es zum ersten Mal taten, war Robby noch ein kleines Kind. Er liebte das Zelten. Nachdem er gestorben war, waren wir uns ganz sicher, daß wir nie mehr zelten würden. Wir würden nie mehr im Urlaub draußen in den Wäldern sein und uns dabei erholen und des Lebens freuen können. Aber unsere Kinder machten uns einen Strich durch die Rechnung. Sie wollten weiter zelten gehen. Ihrer Meinung nach war es ein Hobby der ganzen Familie, und nicht nur Robby hatte daran Spaß gehabt. Schließlich einigten wir uns darauf, es im ersten Sommer nach seinem Tod wenigstens einmal zu versuchen. Anfangs waren wir traurig und bekümmert, aber nach wenigen Tagen hatte uns die Sache wieder gepackt. Durch die gemeinsamen Waldwanderungen, das Schwimmen, das offene Feuer, an dem wir Würstchen brieten, entstand eine enge Bindung zwischen uns und unseren überlebenden Kindern, eine Bindung, die bis heute geblieben ist. Es war ein schöner Urlaub.

Nicht gefaßt aber waren wir auf die Welle von Traurigkeit, die nach unserer Heimkehr plötzlich über uns zusammenschlug. Wie gut wäre es gewesen, wenn uns vorher jemand gewarnt hätte! Unsere Reaktion war in ihrer Intensität erschreckend. Ich weiß noch heute, wie ich mich tränenüberströmt zu meinem Mann umwendete und rief: »Er ist immer noch tot! Er wird immer tot sein!«

Vielleicht hätten wir unserer Emotionen eher Herr werden können, wenn wir vorher mit ihnen gerechnet hätten. Noch heute fühlen wir jedesmal nach einer Ferienreise etwas vom Schmerz des Nach-Hause-Kommens. Aber es ist nicht so, daß dieser Schmerz uns beherrscht. Wir beherrschen ihn. Und er hindert uns nicht daran, ein erfülltes Leben zu leben, so erfüllt, wie uns das nur immer möglich ist.

Dr. Joseph Fischoff, der Leiter der psychiatrischen Abteilung des Kinderkrankenhauses von Michigan, sagt, für den Gesundungsprozeß nach dem Tod eines Kindes sei es unabdingbar, daß man wieder lernt, sich des Lebens zu freuen.

»Es ist von wesentlicher Bedeutung, daß leidtragende Eltern begreifen, daß sie ihr totes Kind nicht verraten, wenn sie lachen. Es ist vielmehr durchaus richtig, daß man sich seines Lebens freut. Das heißt ja nicht, daß man seinen toten Sohn oder seine tote Tochter vergessen hat. Es ist für Eltern unheimlich schwer, diese Wahrheit zu akzeptieren.«

Weil ihr Verlust so übergroß und so bitter ist, neigen manche leidtragende Eltern dazu, in das entgegengesetzte Extrem zu verfallen. Vergnügen, Vergnügen, nichts als Vergnügen – egal, was es kostet. Das kann sich auf lange Sicht als unzuträglich erweisen. Viele Eltern wollen dem Leben Tribut zollen und geben viel zuviel Geld für die Hochzeit oder eine andere festliche Gelegenheit im Leben ihrer übrigen Kinder aus.

So gab eine Mutter völlig offen zu: »Ich weiß ja, daß ich die Hochzeit meiner Tochter viel zu verschwenderisch ausgerichtet habe. Aber wir haben einen toten Sohn. Die Kosten für seine Pflege und seine medizinische Versorgung waren zuletzt so hoch, daß es uns jetzt eine Freude war, endlich einmal Geld für etwas Schönes auszugeben. Und die Hochzeit unserer Tochter ist etwas Schönes – unsere Tochter ist lebendig!«

Eltern, die so glücklich sind, niemals ein Kind verloren zu haben, können es manchmal nicht verstehen, daß die anderen das Bedürfnis haben, ihre übrigen Kinder mit Geschenken und Wohltaten zu überhäufen.

Auch wir taten das für unseren Sohn Dale, als er seinen dreizehnten Geburtstag beging und wir sein Bar Mizwa feierten, ein jüdisches Ritual, mit dem der Übergang des Knaben in das Mannesalter vollzogen wird. Ich war damals so dankbar, so überaus dankbar, daß wir ein Kind hatten, dem wir dieses schöne Fest veranstalten konnten. Es war verschwenderisch und extravagant und tat uns in der Seele wohl. Es war ein Bekenntnis zum Leben – jedenfalls für uns.

Als mein Sohn vor der Gemeinde stand, mußte ich kurz an Robby denken, der sieben Monate zuvor gestorben war. Ihn würden wir nie dort stehen sehen. Ihn würden wir nie den alten hebräischen Text lesen hören. Niemals würde mein Mann, wie jüdische Väter zu tun pflegen, dort bei Robby stehen, während dieser aus der Schriftrolle die jahrtausendealten Verheißungen rezitierte.

Ich habe die Erfahrung gemacht, daß sich dieser Gedanke bei allen festlichen Gelegenheiten bei mir einschleicht und mir einen Stich versetzt. Zum Glück dauert das nur einen Augenblick. Auch an jenem Freitagabend war das so. Unser Sohn hatte Bar Mizwa, und meine Gedanken verließen Robby und wendeten sich unserem prächtigen Jungen zu, der da vor uns stand – und mein Herz war voll tiefer Dankbarkeit. Wahrscheinlich können Eltern, die nie den Tod eines Kindes erlebt haben, unsere überströmende Freude weder verstehen noch nachempfinden. Wir hatten das Gefühl, daß hier etwas weiterging, daß nicht alles verloren und nicht alles begraben war.

Die meisten leidtragenden Eltern kennen dieses Gefühl. Ob es die Konfirmation oder die Taufe oder der sechzehnte Geburtstag eines überlebenden Kindes ist – für einen Augenblick durchfährt uns schmerzlich der Gedanke an unseren Verlust, aber dann überkommt uns die Dankbarkeit, weil uns noch etwas geblieben ist, das uns mit Freude oder Stolz oder Befriedigung erfüllt.

An dieser Stelle ist eine Mahnung zur Vorsicht wohl am Platze. Auch wenn wir von einem Hochgefühl der Freude getragen werden, kommt einmal die Zeit, in der wir, in finanzieller Hinsicht, die Bremse anziehen müssen. Manche Elternpaare stehen kurz vor dem Ruin, weil ihr Bedürfnis nach einer Art Wiedergutmachung für den erlittenen Schmerz so ungeheuer groß ist. Dieses Bedürfnis ist zwar verständlich, aber dennoch gefährlich. Wenn man die Dinge vernünftig betrachtet, wird man zu dem Urteil kommen, daß man auf der Suche nach Unterhaltung und Vergnügen das rechte Maß kennen und einen mittleren Weg einschlagen muß.

Autos, Kleider, Partys, vornehme Restaurants – alles kann zur inneren Gesundung helfen. Aber es ist töricht, wenn man versucht, über den Tod seines Kindes dadurch hinwegzukommen, daß man sich einen halsbrecherisch verschwenderischen Lebensstil zulegt.

Es ist falsch, alles Geld, das man besitzt, auf Vergnügungen zu verwenden. Viele leidtragende Eltern begehen diesen Fehler. Genauso falsch ist es, überhaupt kein Geld für derartige Dinge auszugeben. Man hat in unserer Situation ein größeres Bedürfnis nach Abwechslung und Unterhaltung als die meisten anderen Leute.

Leidtragende Eltern müssen in den meisten Fällen ein Stadium durchmachen, das dem Aufenthalt in der Hölle ähnlich ist. Lachen ist falsch. Vergnügen ist falsch. Daß sie noch am Leben sind, ist falsch. Und oft haben wir das Gefühl, daß es für uns gar nichts Positives mehr gibt. Aber es muß nicht unbedingt sein, daß wir in der Hölle leben.

Es gibt eine alte Geschichte von zwei Senatoren, die miteinander Streit bekamen. Schließlich sagte der eine zum anderen, er sollte zur Hölle fahren. Derjenige, der auf diese lange, heiße Reise geschickt worden war, ging zunächst erst einmal zum Gouverneur und fragte ihn, was er machen sollte.

Der Gouverneur war ein verständiger und kluger Mann. Er ging in seine Bibliothek und nahm eine umfangreiche Gesetzessammlung aus dem Regal. Nachdem er den Band längere Zeit durchgeblättert hatte, wendete er sich würdevoll dem bekümmerten Senator zu und sagte: »Wie Sie gesehen haben, habe ich im Gesetz nachgeschlagen: Sie brauchen nicht zu gehen!«

Und wir leidtragenden Eltern brauchen es auch nicht, auch wenn wir in den dunklen Tagen unseres Verlustes vielleicht das Gefühl hatten, daß die Hölle tatsächlich über uns gekommen war. Die Frage, wie wir uns gegenüber dem Angebot an Vergnügungen, die das Leben bereit hält, verhalten sollen, wird sich lösen, wenn wir in einem Punkt unserer Sache sicher sind: Es tut unserer Trauer keinen Abbruch, und es bedeutet keinen Verrat an unserem toten Kind, wenn wir samstagsabends ausgehen oder Leute zum Essen oder zum Kartenspiel einladen.

Viele leidtragende Eltern haben Angst davor, sie könnten dem Toten unrecht tun, und deswegen treten bei ihnen dann völlig unbegründete und unnötige Schuldgefühle auf, wenn sie sich daran machen, die Bruchstücke ihres Lebens wieder zusammenzusetzen. Ich erinnere mich noch deutlich an die beiden Gedanken, die mich in jenem Hotelzimmer in Las Vegas quälten.

Erstens: Wie hatte ich nur lachen können? Auf Grund einer völlig falschen Vorstellung von Trauer und Leidtragen fühlte ich mich jetzt als unnatürliche Mutter, als herzlose, gefühlskalte Person, die es fertigbrachte, an ihr Vergnügen zu denken, während ihr Kind vor kurzem gestorben war. Natürlich war das alles Unsinn. Wenn man seine Trauer überleben will, muß man hin und wieder aus ihr herauskommen. Es gibt gar keinen anderen Weg.

Zweitens – und heute weiß ich, daß hier die eigentliche crux lag – kam es mir so vor, als hätte ich Robby durch mein Lachen sozusagen allein gelassen, allein »dort draußen«. Meine Trauer war die Nabelschnur, durch die er mit mir verbunden war. Als Teil meiner selbst. Mein Lachen nun ließ in mir das Gefühl entstehen, ich hätte diese Schnur losgelassen, und ich war doch in keiner Weise bereit, ihn loszulassen. Mein Leid hielt Robby und mich ganz dicht beieinander, sozusagen eng umschlungen, und ich brauchte das einfach noch.

Als mir nach und nach klar wurde, warum ich Lachen und Vergnügen eher als Verrat und nicht vielmehr als Hilfe zum Weiterleben betrachtete, versuchte ich, trotz meiner Trauer einmal logisch zu denken. Meine Gefühle mochten sein, wie sie wollten – Robby rückte mir dadurch weder ferner noch näher. Ich verriet ihn nicht. Ich ließ ihn nicht im Stich. Ich ließ ihn nicht allein, wenn ich lachte. Ich konnte mir ihn auch nicht dadurch näher holen, daß ich weinte. Er war tot, ganz gleich, was ich tat oder nicht tat.

Als ich so weit war, fing ich an, Einladungen anzunehmen. Und wenn wir auch in der Abgeschiedenheit unserer Wohnung so manche bittere Stunde vor dem Ausgehen oder nach dem Heimkommen erlebten, so wurde doch langsam, sehr langsam, mit jedem erfreulichen Abend, den wir außer Haus verbrachten, die Basis für das nächste Mal gelegt. Bevor ich ausging, pflegte ich zu mir selbst zu sagen, daß dies nicht bedeutete, daß ich nicht mehr um mein Kind trauerte. Das erleichterte mein Gewissen. Vielleicht kann es auch deines erleichtern und befreien, damit du wieder leben und dich am Leben freuen kannst.

In dem Kampf dieser Welt sei
nicht wie das Vieh, ohne Willen und stumpf –
sei im Streite ein Held!

Henry Wadsworth Longfellow

In den Tagen des alten Griechenland meldete sich einst ein Lahmer als Freiwilliger zum Heeresdienst. Hinkend näherte er sich dem Zelt des Oberbefehlshabers und bat um Aufnahme in eine Elitetruppe. Einige Soldaten, die ihn daherhumpeln sahen, fingen an, sich über ihn lustig zu machen.

Dieser Mann wurde zum Helden des Tages, gewann die Achtung des Oberbefehlshabers und erhielt einen Platz in der von ihm gewünschten Einheit, weil er sich an die Spötter wendete und zu ihnen sagte: »Ich bin hier, um zu kämpfen, und nicht, um zu rennen!«

In gewisser Weise kann dieser Mann uns, die wir tote Kinder haben und bestrebt sind, in die Welt der Lebendigen zurückzukehren, zum Vorbild dienen. Ja, die Rückkehr in diese Welt ist ein Kampf, und zwar ein Kampf, der besonders hart ist, weil wir ja bereits geschlagen, verwundet und lahm sind. Trotzdem können wir es schaffen. Wir müssen nur wissen, daß es nicht leicht sein wird.

Eine Mutter, deren Sohn von dem einstürzenden Dach eines leerstehenden Hauses erschlagen worden ist, sagt, daß es ihr immer wieder schwerfällt, einer Einladung zum Tennisspiel zu folgen. Aber weil sie den ernsthaften Willen hat, mit ihrem Kummer fertig zu werden – nicht nur um ihrer selbst willen, sondern auch um ihrer Familie willen –, nimmt sie diese Einladungen jedesmal an.

»Vor dem Unfall hat Tennis in meinem Leben eine große Rolle gespielt. Jedesmal, wenn ich hingehe und spiele, ist das für mich selbst so etwas wie ein Beweis dafür, daß mein Schmerz irgendwann nachlassen wird. Eines Tages werde ich mein Leben wieder leben, ohne daß es mich solche Anstrengung kostet. Ohne daß ich beinahe übermenschliche Energie aufbringen muß.«

Nach Robbys Tod gab es für mich eine Zeit, in der ich mich treiben ließ. Ich führte lediglich rein mechanisch bestimmte Bewegungen beim Putzen oder Kochen aus, oder ich beteiligte mich mit einigen wenigen Worten an irgendwelchen banalen Unterhaltungen. Es war insofern eine Zeit der Betäubung. Andererseits war es aber eine Zeit, in der ich meinen Kummer körperlich spürte. Ich erinnere mich, daß ich das Gefühl hatte, mir sei ein Bein oder ein Arm amputiert worden.

Damals hatte ich die größte Angst vor dem Weiterleben. Ich war wie gelähmt vor Furcht und Schrecken und konnte immer nur denken: »Was ist, wenn das jetzt immer so bleibt? Was soll ich nur machen, wenn dieser Schmerz nie mehr aufhört?« Wenn ich daran dachte, daß jetzt vielleicht endlose Tage der Trauer folgten und daß ich nie mehr ein normales Leben führen könnte, stieg panisches Entsetzen in mir auf.

Aber allmählich, nach einigen Monaten, wich diese Angst, und auch der körperliche Schmerz schwand. Ich fühlte, daß ich weiterleben würde. Erst da faßte ich den Entschluß, dies auch tatsächlich zu wollen.

Wenn ein Kind gestorben ist, fällt einem die Erfüllung auch nur der einfachsten Aufgaben ungemein schwer. Es ist wirklich eine entsetzliche Zeit. Ganz alltägliche Dinge nehmen plötzlich ungeahnte, bedrohliche Ausmaße an, weil du tatsächlich im wahrsten Sinne des Wortes »von Sinnen« bist. Du bist völlig aus dem Gleichgewicht geraten.

Ich erinnere mich daran, wie wir nach Ablauf der siebentägigen Trauerzeit zum ersten Mal wieder aus dem Haus gingen. Es war für mich fast wie eine Beleidigung, daß die Autos nach wie vor auf den Straßen fuhren und daß das Geschäftsleben in vollem Gange war. Ich hatte das Gefühl, ich sei überaus verletzlich.

Eine Mutter erzählte mir, daß es ihr einen Schock versetzte, als sie sah, daß die Müllmänner immer noch Abfälle einsammelten, obwohl doch ihr Sohn tot war!

Weil ihr eigenes Leben so abrupt unterbrochen worden ist, meinen leidtragende Eltern häufig, daß in dieser Zeit, die unmittelbar auf den Tod ihres Kindes folgt, die ganze Welt zum Stillstand gekommen ist. Es ist ein Schock für sie, wenn sie erkennen, daß das ganz und gar nicht der Fall ist. Die Welt hat sich inzwischen weitergedreht. Das Leben ist weitergegangen.

Wenn die leidtragenden Eltern hier nun wieder mithalten wollen, dann ist das für sie ungefähr so, als wollten sie auf einen fahrenden Bus aufspringen. Du bist außer Atem und etwas zerzaust, aber trotzdem in Bewegung.

Das erste, worauf du achten mußt, ist, daß du dir nicht zu viel vornimmst. Fang klein an. Nimm dir zunächst die wichtigsten Aufgaben des Alltags vor. Arbeiten, kochen, einkaufen, Rechnungen bezahlen. All das muß getan werden. Vergewissere dich, daß du einmal Angefangenes auch zu Ende bringst. Trauer lenkt einen leicht ab. Dann geh allmählich zu solchen Dingen über, die du zunächst erst einmal hattest liegen lassen. Trage im Scheckheft Einnahmen und Ausgaben nach, hefte die amtlichen Schreiben ab, die sich inzwischen auf deinem Schreibtisch angesammelt haben, räume das kleine Zimmer auf, in dem alles wahllos durcheinandersteht und -liegt.

Wenn auf dieser Ebene alles getan ist, geh einen Schritt weiter und fang an, dich um die hübschen Kleinigkeiten des Lebens zu kümmern. Leg dir einen neuen Lidschatten zu, ändere deine Frisur, stell Blumen auf den Tisch. Auch für einen Mann gibt es auf diesem Gebiet genügend Betätigung: Er kann eine Flasche Wein zum Abendessen mitbringen; er kann sich einen leichtsinnigen Hut oder ein auffallendes Sporthemd kaufen; er kann die Haustür frisch streichen.

Überlege dir schon am vorhergehenden Tag die hübsche Kleinigkeit für morgen. Und wenn der nächste Tag da ist, sieh zu, daß du deinen Plan auch ausführst. Selbst wenn du weinend in den Laden gehst, um etwas Neues zu kaufen, bleib dir gegenüber hart. Sag dir selbst, daß du es tun *mußt*. Wiederhole diesen Satz immer wieder. Du wirst dann allmählich dahinterkommen, daß Leben im Vollsinn des Wortes mit den unbedeutenden Kleinigkeiten anfängt, die über den allernotwendigsten Bedarf des nackten Existierens hinausgehen.

Du wirst selbst davon überrascht sein, wenn du merkst, daß auf diesen ersten Schritt weitere folgen. Natürlich kommen auch Zeiten, in denen du unsicher gehst oder vielleicht sogar Rückschritte zu machen scheinst. Aber im Laufe der Zeit werden die Rückschritte seltener und unbedeutender, weil das Leben selbst dich weiterträgt.

Denk daran, daß dies alles nicht über Nacht geschieht. Es wird nicht so sein, daß du eines Morgens aufwachst und plötzlich wunderbarerweise von Lebensfreude erfüllt bist. Du kannst deine Traurigkeit nicht einfach irgendwo hinter dir lassen. Es wäre weder realistisch noch wahrheitsgemäß, wenn ich dir das sagte. Aber deine Traurigkeit wird dich nicht mehr niederdrücken. Du wirst sie in deinem Herzen tragen. Denk daran: Du wirst sie beherrschen. Nicht sie wird dich beherrschen!

Ein weiterer wesentlicher Schritt zielt auf die Einheit der übriggebliebenen Familie. Sie muß wiedergewonnen und gestärkt werden, und das ist eine schwierige Sache. Es genügt nicht, daß alle zu Hause bleiben und sich wie lebendige Tote benehmen. Ebensowenig hilft es, wenn man den entgegengesetzten Weg geht und ständig fort von zu Hause ist, um nur ja nicht seinen Erinnerungen begegnen zu müssen.

Die Erinnerungen holen dich sowieso immer ein. Wie überall im Leben, so empfiehlt sich auch hier ein Mittelweg, der zwischen dem Ewig-zu-Hause-Sitzen und dem Immer-unterwegs-Sein hindurchführt. Es ist außerordentlich wichtig, hier das rechte Gleichgewicht zu finden, und natürlich hat jede Familie hier ihr eigenes Maß. Probiere verschiedene Modelle aus, bis du die dir gemäße Zuordnung von beidem gefunden hast.

Widme deinen Kindern, ihren Schulaufgaben, ihren Problemen an jedem Abend eine gewisse Zeit – und sei sie auch kurz. Tu dasselbe für deinen Ehepartner. Wähle die Zeiten am Anfang nicht zu lang. Du ersparst dir dann die frustrierende Erfahrung, daß deine Fähigkeit zur Konzentration auf einen anderen Menschen von minimaler Dauer ist. Allmählich wirst du spüren, daß deine Ausdauer wächst und daß du dich über zunehmend längere Zeit deiner Familie widmen kannst.

Es gibt noch einen weiteren Lebensbereich, in dem uns schwierige Aufgaben bevorstehen. Das zeigt sich dann, wenn uns nach und nach klar wird, daß wir uns weder an irgendwelchen Feiertagen noch am Urlaub vorbeimogeln können. Erntedankfest, das in den Vereinigten Staaten als eines der wichtigsten kirchlichen und familiären Feste gilt, Weihnachten und die Familiengeburtstage kommen bestimmt, auch wenn wir ihnen am allerliebsten aus dem Wege gingen. Und auf Jahre hinaus sind es schreckliche Tage für uns. Es wird uns nicht gelingen, die Qualen, die sie mit sich bringen, zu vermindern. Wir müssen sie aushalten.

Eine Familie versuchte, sich dem jährlichen Erntedankfest zu entziehen, zumal auf diesen Termin auch noch ausgerechnet der Geburtstag des toten Kindes fiel. Die Eltern beschlossen, künftig an diesem Tag auf das übliche Familienfest zu verzichten und statt dessen entweder zu verreisen oder zu Hause zu bleiben und die Feierlichkeiten einfach zu ignorieren.

Eines Tages überraschte die Mutter ihre zehnjährige Tochter, wie sie dasaß und weinte. Die Mutter fragte, was denn los wäre.

»Sie schluchzte«, erzählte die Frau. »In der Schule hatten die anderen Kinder einander berichtet, was sie für den Tag vorhatten. Alle hatten Tischschmuck oder Dekorationen für das Fest gebastelt, und Lynn fühlte sich von allen ausgeschlossen. Sie weinte darüber, daß sie nicht nur ihren Bruder verloren hatte, der jetzt tot war, sondern auch noch auf ein richtiges Erntedanktagsfestessen mit einem Truthahnbraten verzichten sollte.

Ich hörte ihr zu, nahm sie in meine Arme und weinte. Was sie sagte, klang durchaus einleuchtend. Schließlich hatten wir ja noch drei andere Kinder. Auch sie waren wichtig. An jenem Abend sprach ich mit meinem Mann, und wir beschlossen, daß wir das traditionelle Erntedanktags-Dinner halten wollten, egal, wie traurig oder trübsinnig es werden würde.«

Dann erzählte die Mutter, wie sich die Familie an den Tisch setzte, und wie still anfangs alle waren. Der Vater sprach das Tischgebet und dankte Gott für das reiche Mahl. Als er geendet hatte, erklärte die zehnjährige Tochter, sie hätte auch noch etwas hinzuzufügen.

»Ich möchte Vati und Mutti danken, weil sie für uns dieses besondere Festessen gemacht haben. Und ich möchte auch dir, lieber Gott, danken, weil wir meinen Bruder Eric sechs Jahre lang bei uns haben durften.«

148

Die Mutter wird nie vergessen, was ihre Tochter damals gesagt hat. Sie erzählte mir, daß für eine Weile jeder am Tisch mit den Tränen zu kämpfen hatte. Aber als das Essen dann seinen Fortgang nahm, gaben sich alle Mühe, und sie fingen an, sich über den Sinn dieses Feiertages zu unterhalten. Daraufhin erzählten die Eltern einige amüsante Vorfälle, die sich in ihrer Jugend bei derartigen Festessen ereignet hatten. Die Mutter sagte später, daß sie diese Geschichten zur Auflockerung der Atmosphäre mit ebenso großem Bedacht ausgewählt hatte wie die einzelnen Speisen des Menüs.

Schließlich war das Festmahl vorüber. Was den Eltern vorher als unüberwindliches Hindernis erschienen war, erwies sich nun lediglich als ein weiterer bedeutsamer Wendepunkt in ihrem Leben.

Auf deinem Weg nach vorn wird es eine ganze Reihe solcher Wendepunkte geben. Du hast bereits das überlebt, von dem du sicher warst, du könntest es nicht überleben: den Tod deines Kindes.

Viele andere Marksteine wirst du noch passieren, und zwar immer dann, wenn dir ein weiterer Schritt im Kampf um die Bewältigung deines Schmerzes gelungen ist. Mit jedem Urlaub, jeder Festzeit, jedem erfreulich-traurigen Familienereignis, die du hinter dich bringst, gewinnst du neue Kraft, weil du wieder einmal ein schmerzliches Erlebnis durchgestanden hast.

Die Wiederaufnahme der täglichen Routine ist also lebenswichtig. Andererseits sind manche Psychiater der Meinung, daß in bestimmten Bereichen auch drastische Veränderungen hilfreich sein können, und zwar sowohl für den einzelnen als auch für das Elternpaar. So behauptet ein Psychologe, der große Erfahrung in der Beratung leidtragender Eltern hat, die Grundregel für das Intakthalten einer solchen Ehe sei Veränderung, Veränderung, Veränderung; Wechsel.

»Ihre Familie ist von einem Schicksal getroffen worden, demgegenüber es kein Entrinnen gab. Es ist geradezu lächerlich, so zu tun, als hätte das keinerlei Wirkung gehabt und als könnte alles so weitergehen wie vorher. Vielmehr sind Veränderungen dringend geboten«, sagt er.

»Ändern Sie zum Beispiel beim Essen die Sitzordnung. Es ist für Sie nicht gerade wohltuend, wenn Sie bei Tisch ständig auf den leeren Platz schauen müssen, auf dem Ihr Kind einst gesessen hat.«

Unter Hinweis auf den Begriff der »Rekreativität« rät er Elternpaaren dazu, gemeinsame Hobbys aufzunehmen, weil das ihrer Ehe nur förderlich ist. Er besteht darauf, daß es sich dabei für beide um etwas völlig Neues handeln muß, das sie noch nie miteinander getan haben. So hat sich ein Akademikerehepaar zum Beispiel ans Möbel-Polstern gemacht. Ein anderes Paar unternimmt weite Reisen – früher ist es kaum einmal aus seiner Heimatstadt herausgekommen.

Ein beiden Eltern gemeinsames Projekt ist also wichtig. Darüber hinaus gibt es aber offensichtlich nach dem Tod eines Kindes auch bei jedem von beiden ein großes Bedürfnis, ganz allein etwas Kreatives zu tun. Das zeigte sich, als verschiedene Mitglieder einer Gruppe von leidtragenden Eltern sich über die Methoden austauschten, mit deren Hilfe sie wieder ins aktive Leben zurückzukehren suchen. Die meisten Männer und Frauen – auch diejenigen, die vorher nie dergleichen getan hatten – haben sich einer kreativen Beschäftigung zugewendet. Sie haben das Gefühl, daß ihnen das guttut. Manche arbeiten künstlerisch, andere fangen an zu schreinern, und allen scheint es ein Bedürfnis zu sein, etwas herzustellen, etwas ins Leben zu rufen.

Ich selbst habe zwar geschrieben, seit ich denken kann, aber erst nach Robbys Tod fing ich an, diese Beschäftigung ernsthaft zu betreiben. Denn nun verspürte ich ein beinahe unersättliches Verlangen, »etwas zu tun«. Damals entdeckte ich, daß man nach dem Tod eines Kindes der eigenen Tätigkeit viel unbefangener gegenübersteht als vorher. Ich hatte plötzlich keine Angst mehr davor, Dinge auszuprobieren.

Ich weiß noch, wie ich einen meiner Artikel zu unserer lokalen Wochenzeitung bringen wollte. Zuerst war ich ziemlich aufgeregt. Aber dann kam mir auf einmal der Gedanke, daß ich eigentlich gar nichts mehr zu verlieren hatte. Schließlich hatte ich den Tod meines Sohnes hinter mir. Dagegen war es wahrhaftig überhaupt nichts, der Begegnung mit einem mir unbekannten Herausgeber standzuhalten. Diese Überlegung hat mir in den Jahren nach Robbys Tod immer wieder zu einer großen inneren Gelassenheit verholfen.

Es gibt im Leben wohl nur wenige Dinge, die leidtragende Eltern noch erschüttern können. Das gilt für jeden von uns, ganz gleich, ob wir im Geschäftsleben oder in einer freiwilligen sozialen Arbeit tätig sind, ob wir künstlerisch arbeiten oder einem anderen Interesse nachgehen. Wir brächten es sogar fertig, noch einmal zur Schule zu gehen. Denk dran, daß wir anders sind als andere Menschen. Die meisten von uns haben das Schlimmste bereits hinter sich. Wir brauchen ihm nicht mehr standzuhalten.

Ich bin auch froh darüber, daß ich jetzt weiß, was Angst ist. Angst ist, wenn du auf den Arzt wartest, der dir sagen wird, ob dein Kind am Leben bleibt oder stirbt. Aus dieser Wahrheit können alle leidtragenden Eltern etwas für die Zukunft lernen, wenn sie das wollen.

Kurz nach meiner Visite bei der Wochenzeitung holte ich tief Atem und bewarb mich bei einem größeren Blatt. Ich wurde auf Teilzeitbasis angestellt. Mein Hochgefühl war beinahe grenzenlos. Ich konnte etwas werden. Ich konnte etwas leisten. Ich konnte etwas *tun*!

Ein anderer Psychologe hat darauf hingewiesen, daß Rekreativität zwar unabdingbar ist, daß es aber andererseits in bestimmten Lebensbereichen keine Veränderung geben darf. Es ist zum Beispiel wichtig, daß man an demselben Ort wohnen bleibt und nicht kurz entschlossen den Wohnsitz wechselt. Denn schließlich wohnen die Menschen, die einem helfen können, ebendort.

Auch er weist übrigens darauf hin, daß es wichtig ist, den Urlaub zu »bestehen«, bestimmte Gewohnheiten aus dem früheren Leben aber gegebenenfalls neu zu regeln.

Gerade wenn ein Kind gestorben ist, kann das positive Beispiel eines erfolgreich tätigen Menschen einen nachhaltigen Einfluß auf andere Leidtragende ausüben.

Deswegen sind auch die schon mehrfach erwähnten Zusammenkünfte leidtragender Eltern so wichtig. Hier kann man frei von seiner Trauer reden und von anderen hören, wie sie mit allem fertig werden.

So besuchte eine ältere Witwe eine solche Versammlung. Sie fühlte sich zu einer anderen Frau hingezogen, die während der Kaffeepause die um sie Sitzenden dadurch erheiterte, daß sie lachend erzählte, sie stände zur Zeit unter Beobachtung. Sie trüge nämlich einen bestimmten Verband, der als neues Produkt auf den Markt kommen sollte, und sie hätte versprochen, ihn drei Tage und drei Nächte lang zu tragen. Ihre Nachbarn brüllten vor Gelächter, als sie die Bandagen um ihre Knie sahen. Auf der einen stand groß und deutlich »Marke X«, auf der anderen »Marke Y«.

Voll Verwunderung betrachtete die Witwe diese Frau, die ungefähr so alt war wie sie selbst. Auch die Witwe war auf die Erprobung des neuen Verbandmittels angesprochen worden, hatte sich aber nicht daran beteiligen wollen, weil sie »doch nicht mit dem Herzen dabei« sein konnte.

Die andere Frau dagegen erklärte, daß sie sich immer zur Beteiligung an derartigen Unternehmen zwinge. Und sie fragte, ob die anderen nicht auch schon die Erfahrung gemacht hätten, daß ihnen so etwas gut täte.

Die Witwe sah den Unterschied zwischen der anderen Frau und sich selbst. Sie waren beide schon älter. Sie hatten beide ein totes Kind. Aber die eine von beiden lachte und beteiligte sich an den Torheiten des Lebens.

Jedem in der Gruppe war klar, daß sich für die Witwe plötzlich eine neue Sicht der Dinge aufgetan hatte.

Es gibt auch Eltern, die ihre Aktivität dadurch wiedergewinnen, daß sie zum Gedenken an ihr Kind irgend etwas stiften. So richtete eine Familie einen Stipendienfonds ein, mit dessen Hilfe junge Leute eine College-Ausbildung genießen können – und dies, obwohl ihre eigene Tochter ihr Abitur nicht mehr erlebt hat. Eine andere, recht wohlhabende Familie stiftete ein größeres Gymnasium zur Erinnerung an ihren jung verstorbenen Sohn. Eine Familie richtete einen Krankenhausfonds ein. Wieder eine andere plant den Aufbau eines Zoologischen Gartens zum Gedenken an ihren toten Sohn. Der durch das Fernsehen überall bekannt gewordene Art Linkletter, dessen Tochter, offenbar unter dem Einfluß halluzinogener Drogen, Selbstmord beging, ist ein engagierter Streiter für die Liberalisierung der kalifornischen Drogengesetzgebung geworden. Seit 1969, dem Jahr, in dem seine Tochter Diane mit zwanzig Jahren in den Tod ging, kämpft er dafür, daß die Jugend überall über Drogenmißbrauch aufgeklärt wird.

Alle diese Menschen hatten das Bedürfnis, im Rahmen ihrer sozialen und finanziellen Möglichkeiten ein bestimmtes Projekt von einiger Bedeutung in Angriff zu nehmen, um dem tragischen Tod ihres Kindes wenigstens in bescheidenem Maße irgend etwas entgegenzusetzen. Es gibt viele Eltern, denen nur geringe Mittel zur Verfügung stehen und die trotzdem etwas zum Gedächtnis ihres Kindes stiften. Uns allen, die wir ein totes Kind haben, ist es offensichtlich ein echtes Bedürfnis, etwas Sinnvolles zu leisten und dafür keine Mühe zu scheuen. Für viele leidtragende Eltern, die nicht viel Geld haben, hat sich ein anderer Weg als hilfreich erwiesen: Sie haben angefangen, sich um mutterlose oder vaterlose Kinder zu kümmern. Ich würde zwar nie einem anderen Menschen den Vorschlag machen, er möge ein Kind adoptieren, und dabei vielleicht auch noch im stillen die Hoffnung hegen, daß es einst den toten Sohn oder die tote Tochter ersetzen wird. Aber es leuchtet wohl ein, daß es sinnvoll ist, sich mit einem kleinen, verlassenen Kerlchen anzufreunden und es zu besuchen. Keiner kann dein totes Kind ersetzen oder an seine Stelle treten. Ich glaube auch, daß man gar nicht nach Ersatz suchen soll. Denn jeder Mensch, ganz gleich welchen Alters, hat seine eigene, unverwechselbare Persönlichkeit – auch die kleinen Säuglinge, die in ihrem Bettchen sterben. Keiner kann ein anderer werden und den Platz eines anderen einnehmen.

Aber wenn leidtragende Eltern Waisenhäuser oder Heime für behinderte Kinder besuchen, dann können sie vereinsamten Kindern etwas Freude und Trost bringen, und dadurch wird auch bei ihnen selbst das Gefühl der Einsamkeit gemildert und der Horizont geweitet.

Es kommt auch vor, daß Eltern zwar keine Gedächtnisstiftungen einrichten, statt dessen aber sozusagen in Person dem Andenken ihrer Kinder leben.

So hat sich eine Frau, deren Sohn im Alter von fünf Jahren an Leukämie gestorben ist, eine besondere Aufgabe gesetzt: Wenn sie von Menschen hört, denen vor kurzem ein Kind gestorben ist, dann setzt sie sich hin und schreibt ihnen einen Brief. Ihre Schreiben sind weder rührselig noch weinerlich. Im Gegenteil. Sie sollen den Eltern das Gefühl vermitteln, daß sie ihr Unglück überleben werden. Daß auch sie selbst es überlebt hat. Viele Leute, mit denen diese Frau korrespondiert hat, haben es ihr später gedankt.

In diesem Zusammenhang ist auch an das überragende Beispiel von Frau Sylvia Brown, der geschäftsführenden Direktorin der Leukämie-Stiftung von Michigan zu erinnern. Vor fast dreiundzwanzig Jahren entdeckte Frau Brown, daß ihr zweijähriges Kind an den Beinen mehrere schwarz-blaue Flecken hatte. Sie konnte sich diese nicht erklären, zumal da das Kind selten hinfiel. Da sie etwas beunruhigt war, fragte sie ihren Kinderarzt um Rat. Er ordnete eine sofortige Untersuchung im Krankenhaus an.

Blutuntersuchungen bestätigten den Verdacht des Arztes. Die kleine Sandra-Ann war ein Opfer der Leukämie. Innerhalb eines Monats war sie tot.

Frau Brown erinnert sich noch lebhaft an die Zeit, die unmittelbar darauf folgte.

»Ich saß da, schwarz angezogen, und dachte nur immer: ›Warum gerade ich, mein Gott! Warum ich?‹ Das ging so einige Wochen, bis meine fünfjährige Tochter eines Tages zu mir kam und mich fragte, ob ich noch ihre Mama wäre.

Das erschreckte mich, und ich fragte, was sie damit meinte. Abby sagt, eigentlich könnte ich nicht ihre Mama sein, denn die hätte nie so häßliche schwarze Kleider angehabt und wäre auch immer fröhlich gewesen statt traurig.

In dem Augenblick wurde mir schlagartig bewußt, daß ich ja noch einen Mann und ein zweites Kind hatte, für die ich leben mußte. Ich löste mich mit Gewalt aus meiner Depression und fing wieder an, mich für andere Dinge zu interessieren.«

Unter anderem begann Frau Brown, sich anderen Kindern zu widmen, die an Leukämie erkrankt waren. Sie besuchte die kleinen Patienten im Krankenhaus und knüpfte Kontakte zu den Eltern.

Etwa sechs Jahre später erhielt Frau Brown den Anruf einer Frau, die eine Leukämie-Stiftung ins Leben rufen wollte und aus diesem Grund bemüht war, Verbindung zu solchen Eltern aufzunehmen, deren Kind von dieser schrecklichen Krankheit befallen war.

»Ihr Telefonanruf brachte in mir irgendeine Saite zum

Schwingen. Ich hatte plötzlich das Bedürfnis, anderen Menschen zu helfen. Als ich Hilfe gebraucht hatte, war keiner dagewesen. Es war mir so vorgekommen, als wären mein Mann und ich die beiden einzigen Menschen auf der Welt, denen so etwas Entsetzliches widerfuhr.«

Frau Brown erzählte auch, daß sie auf Grund jenes Anrufs richtig ärgerlich auf sich selbst wurde.

»Warum hatte ich mich eigentlich nicht, nachdem diese Geschichte mit meiner Tochter passiert war, darum gekümmert, ob anderen Kindern und anderen Eltern nicht vielleicht zu helfen war?

Ich fing an, der Sache nachzugehen und zu untersuchen, ob und wie man andere bei der Bekämpfung der Leukämie mit Rat und Tat unterstützen kann. Ich arbeite hart, aber ich gewinne aus der Tätigkeit für diese Organisation unendlich viel mehr, als ich in sie hineinstecke. Ich lebe auf den Tag hin, an dem es möglich sein wird, Leukämie zu heilen. Dann ist meine Arbeit getan.«

Vielleicht ist Frau Brown glücklicher als viele andere leidtragende Eltern. Denn sie hat eine Tätigkeit gefunden, die sich nicht nur für sie selbst, sondern auch für andere wohltuend auswirkt. Jeder von uns muß sich seinen eigenen, ihm gemäßen Weg suchen und sehen, wie er seinen Platz im Leben wieder ausfüllen kann.

Man trägt seine Trauer ein ganzes Leben lang wie eine schwere Last mit sich herum. Niemals mehr wird sie einem abgenommen. Und trotzdem soll man wieder ein aktives Leben führen. Nachdem ich diese Tatsache einmal akzeptiert hatte, änderte sich meine gesamte Lebenshaltung in bemerkenswerter Weise. Ich nahm mir vor, mit meinem Schmerz fertig zu werden; tätig zu sein; durch den dunklen Wald zu gehen, auch wenn ich diese schwere Last zu tragen hatte.

Bloßes Überleben, bloßes Existieren ist mir nicht mehr genug – es sollte auch dir nicht genug sein. Existieren kann jedermann. Aber du bist durch größere Tiefen gegangen als jedermann. Du hast die letzte Bitterkeit kosten müssen. Du darfst nicht nur stumpf vor dich hin vegetieren. Du bist dir mehr schuldig. Du bist es dir schuldig, daß du sicheren Schrittes durchs Leben gehst.

> Glücklich die Eltern, die wissen, welcher
> vergangenen Dinge sie gedenken, welcher
> gegenwärtigen Dinge sie sich freuen, welche
> zukünftigen Dinge sie planen sollen.
>
> Anonymus

Eine alte Geschichte erzählt von zwei Blinden, die sich ihren armseligen Lebensunterhalt dadurch zu verdienen suchten, daß sie an einer belebten Straßenecke in New York Bleistifte verkauften.

Ein Passant fühlte Mitleid, blieb stehen und beobachtete die beiden Männer ein wenig. Sie standen nur wenige Schritte voneinander entfernt. Eigenartigerweise gingen die meisten Leute an dem ersten Blinden vorüber, machten aber dann bei dem zweiten halt. Fast alle kauften bei ihm etwas. Der Beobachter wurde neugierig und ging ein wenig näher herzu. Jetzt sah er auch, warum die Passanten die beiden Männer so unterschiedlich behandelten. Der erste Blinde hielt eine Büchse mit der Aufschrift: »Bitte, helft den Blinden!«

Auch der andere, der Erfolgreiche, hatte ein Schild. Aber darauf stand: »Es ist Frühling, und ich bin blind.«

Dasselbe Leiden, dieselbe Hilfsbedürftigkeit – und doch eine ganz unterschiedliche Betrachtungsweise.

Wir leidtragenden Eltern sind diesen beiden blinden Männern sehr ähnlich. Wir befinden uns in einer zutiefst unglücklichen Situation. Und es hängt alles davon ab, daß wir erkennen, wie wir unsere Lage am besten bewältigen und auf welche Weise wir unser Ziel am ehesten erreichen – das Ziel nämlich, mit unserem Unglück zu leben. Es kommt entscheidend darauf an, welche Betrachtungsweise wir wählen.

Wenn ein Kind gestorben ist, ist das Leben danach zunächst nichts als Elend und Leid. Ja dieses Leid ähnelt in gewisser Weise der Blindheit. Wir sehen keinen Weg mehr, auf dem wir sicheren Fußes gehen könnten, um etwas Ruhe für unser gequältes Herz zu finden. Wir können uns nur tastend voranbewegen. Wir stolpern daher, fallen hin, stehen mühsam wieder auf, bis wir ein wenig gelernt haben, mit unserer Trauer umzugehen. Das ist alles.

Wenn wir bei alledem versuchen, auch unseren Verstand zu gebrauchen, dann werden wir einen Weg finden, den wir gehen können. Und am Ende werden wir leidtragenden Eltern überleben – überleben im positiven, nicht im negativen Sinn. Gesund, wissend, klar sehend.

Unmittelbar nach Robbys Tod erschien mir der Gedanke, ich könnte vielleicht noch längere Zeit leben, einfach entsetzlich. Denn ich konnte es mir nicht anders vorstellen, als daß sich nun bis in alle Ewigkeit zahllose Tage und Stunden aneinanderreihen würden, alle voller Schmerz und Jammer. Kein Mensch, der nicht erfahren hatte, wie es ist, wenn das eigene Kind stirbt, hätte mich damals davon überzeugen können, daß es anders kommen würde. Ich hätte ihm einfach nicht geglaubt.

Heute aber erlebe ich, daß ich und meine Familie leben und arbeiten und wirken und daß wir uns am Leben und dem, was es bringt, freuen. Damals hätte ich das alles für unmöglich gehalten. Aber ich kann dir versichern, daß es tatsächlich wahr ist.

Schon lange, bevor Robby starb, lag ich immer wieder nachts wach im Bett und sah ihn bereits gestorben. Nacht für Nacht wanderte ich durchs Haus oder saß im Wohnzimmer, und in mir steckte diese entsetzliche Angst davor, was werden sollte, wenn er die Herzoperation nicht überstände. Quälende Schreckensbilder stiegen in mir auf. Im letzten Jahr, als bereits feststand, daß er operiert werden mußte, schlief ich nie mehr als drei Stunden. Die übrige Zeit lag ich wach, sah ihn tot vor mir und wußte, daß unser Leben nur noch Kummer und Leid sein würde.

Nie kam es mir in den Sinn, daß ich doch vielleicht noch einmal lachen oder glücklich sein oder ein erfülltes Leben führen könnte. Ich konnte mir nicht vorstellen, daß ich je über dieses Unglück hinwegkommen würde. Und doch ist es gelungen. Und auch dir kann es gelingen.

Hast du nicht auch einst gedacht, du könntest die Beerdigung deines Kindes nie überstehen? Und dennoch hast du sie überstanden.

Am Anfang schien es dir unmöglich, daß du all die Qual und Pein überleben würdest. Daß du aus den Tagen und Nächten, die du weinend, zerquält und immer am Rande deiner Kraft zubrachtest, noch einmal lebendig herauskommen würdest. Du warst dir so sicher, daß du diese Zeit nie hinter dich bringen würdest. Aber du hast sie hinter dich gebracht.

Manchmal hast du dich auch schuldig gefühlt, weil du meintest, du hättest in der von klein auf anerzogenen Rolle eines Vaters oder einer Mutter versagt. Du hattest es nicht fertiggebracht, dein Kind zu retten und am Leben zu erhalten. Dann überkam dich diese Eiseskälte, und dein Herzschlag setzte aus, weil du an all das dachtest, was du hättest anders machen können. Und du versankst in eine so abgrundtiefe Traurigkeit, daß du dir nie hättest träumen lassen, du könntest noch einen einzigen Schritt weitergehen. Aber du bist gegangen.

Oft überfiel dich ohnmächtiger Zorn, weil Dinge, über die du die Kontrolle hättest behalten müssen, dir einfach entglitten waren. Und dann kamen Hoffnungslosigkeit und Resignation. Nie hättest du gedacht, daß du je darüber hinwegkommen würdest. Aber du wirst darüber hinwegkommen.

Als du deinen Ehepartner am meisten brauchtest, stelltest du fest, daß er dir am allerwenigsten helfen konnte. Du erwartetest Trost von jemandem, der nicht trösten konnte. Du hast gehadert. Manchmal hast du sogar gehaßt. Du dachtest, du kämest nie mehr aus all dem heraus. Aber du wirst herauskommen.

Du dachtest, du könntest dich nie mehr für irgend etwas interessieren. Nie mehr Freunde besuchen, auf Hochzeiten gehen und den Kindern anderer Leute zum Geburtstag oder zum Schulabschluß gratulieren. Nie mehr würdest du aus diesem bösen Traum aufwachen. Aber du wirst aufwachen.

Du hattest keinen Zweifel daran, daß du dich nie mehr freuen würdest. Niemals mehr auf Reisen gehen würdest. Niemals mehr Partys geben oder Partys besuchen würdest. Dein ganzes Leben lang würdest du traurig sein und bestimmt nie wieder lachen. Ja, das vor allem: nie wieder lachen. Aber du wirst lachen.

Du warst dir auch ganz sicher, daß die Übermacht deines Schmerzes dich von jetzt an jeden Tag von neuem überwältigen und nie mehr loslassen würde. Nie mehr würdest du als ganzer, heiler Mensch ein erfülltes Leben leben können. Aber du wirst erfüllt leben.

Dies alles wirst du tun – und noch mehr.

Jede Tat, die dir gelingt – und schon die Bewältigung des Alltags ist nach einem solch schweren Erleben ein Gelingen–, bringt dich einen Schritt weiter. Der nächste wird folgen.

Für die meisten von uns liegt die Furcht vor dem Unbekannten schon hinter uns. Denn wir haben die Hölle gesehen.

Es gibt für dich noch eine Zukunft. Nimm das an. Akzeptiere das. Sie wird so hell und schön sein, wie du sie dir zu gestalten vornimmst.

Du hast den Rest deines Lebens noch vor dir. Es hängt allein von dir ab, was du daraus machen willst. Nirgends steht geschrieben, daß du für immer trauern sollst. Ich meine, du sollst es auf keinen Fall.

Ein Mann, dessen Tochter vor sechs Monaten gestorben ist, sagt, daß er sich immer recht seltsam fühlt, wenn er zum Golfspiel eingeladen wird.

»Was werden die Leute sagen, wenn ich auf dem Golfplatz herumlaufe und mich an einem guten Schlag begeistere? Sie werden denken, daß bei mir etwas nicht stimmt, weil ich nicht ständig meine Trauer zeige.«

Viele leidtragende Eltern kennen diese Befürchtung. Was werden die Leute sagen? Wie wird das auf sie wirken? Wir alle haben ein empfindliches Gespür dafür, wie wir auf unsere Nachbarn und Freunde wirken, besonders dann, wenn wir erst am Anfang unserer langen Rückwanderung aus dem Tal des Todesschattens stehen. Den meisten von uns liegt viel daran, daß die anderen Menschen verstehen, daß wir nicht aufhören zu trauern, während wir uns mit allen möglichen anderen Dingen abgeben.

Ungefähr einen Monat nach unseres Sohnes Tod kündigte der Direktor der Schule an, daß zu Robbys Gedächtnis auf dem Rasen vor dem Schulgebäude ein Baum gepflanzt werden sollte. Jeder Schüler, der dazu etwas beitragen wollte, sollte einen bestimmten Geldbetrag mitbringen. Keiner durfte mehr geben, denn der Direktor wollte, daß sich jeder an diesem einmaligen Tun beteiligte, an dieser Handlung des Gedenkens für einen toten Mitschüler.

Natürlich wurden wir zu der Zeremonie eingeladen. Wir kamen an dem betreffenden Tag ein wenig zu früh, zwar noch arg mitgenommen von den ersten vier Wochen unserer Trauerzeit, aber doch fähig, Haltung zu bewahren. Wir wären nicht hingegangen, wenn wir uns der Situation nicht gewachsen gefühlt hätten, denn wir wußten, daß vom Kindergartenalter bis zur sechsten Klasse jeder Schüler da sein würde.

Wir waren dem Ganzen also gewachsen, und wir konnten sogar über irgendeine humorvolle Äußerung lachen, die jemand machte, bevor die kleine Feier anfing – mit der Fahne auf halbmast, dem Zapfenstreich und der Abschiedsrede eines Jungen für seinen toten Kameraden.

In dem Augenblick, als ich lachte, hatte ich plötzlich das Gefühl, daß ich irgend etwas falsch gemacht hatte. Ich hätte nicht lachen dürfen. Ich meine noch heute den überaus verwunderten Gesichtsausdruck mancher Erwachsener vor mir zu sehen. Sie waren tief bewegt und erschüttert über den Tod unseres Kindes, und zugleich empfanden sie herzliches Mitgefühl für uns. Es muß ihnen als äußerst unnatürlich erschienen sein, daß die Eltern des toten Kindes lachen konnten.

Damals also, wie gesagt, spürte ich etwas von jener lähmenden »Was-werden-die-Leute-denken?«-Mentalität. Aber es ist falsch und unnütz, wenn man sich um diese Frage Gedanken macht. Ich bin sogar der Meinung, daß deine Rückkehr in die Gemeinschaft der anderen Menschen dadurch in gefährlicher Weise verzögert werden kann. Die Person A mag es für richtig halten, daß du ein halbes Jahr lang nicht zum Essen ausgehst; die Person B mag glauben, du dürftest nun acht Monate lang nicht lachen; und die Person C schließlich mag davon überzeugt sein, es gehörte sich, daß du dich für ein Jahr vom gesellschaftlichen Leben zurückziehst. Wenn du dich, gerade in der Zeit, in der du so besonders verletzlich bist, durch derartige Meinungen Außenstehender bestimmen läßt, dann tust du am Ende nicht, was für *dich* das Richtige ist, sondern was andere Leute, die nicht dein schweres Schicksal durchgemacht haben, für dich als richtig ansehen.

Glücklicherweise war ich mir meiner Gefühle sicher und

ließ mich in meinem Verhalten nie durch das Urteil anderer leiten. Statt dessen überließ ich mich meinem Selbsterhaltungstrieb. Wir alle besitzen ihn. Bediene dich seiner. Vertraue ihm. Er hat ein ausgezeichnetes Urteilsvermögen.

In Wahrheit können doch nur wenige Menschen verstehen, wie wir fühlen – es sei denn, sie haben selbst ein ähnliches Schicksal zu tragen. Für deinen Versuch, den Rest deines Lebens zu leben, ist es von entscheidender Bedeutung, daß die Frage »Was werden die Nachbarn denken?« für dich zweitrangig ist. Sieh statt dessen lieber zu, wie du dahin kommst, daß du deinen Platz im Leben wieder so gut wie möglich ausfüllst.

Mein ganzes Leben lang werde ich darüber traurig sein, daß Robby tot ist. Das ist einfach eine Tatsache. Das ist eine Last, die ich immer mit mir herumschleppen werde. Immer wieder gibt es Zeiten – vor allem schöne Zeiten –, in denen ich ihn schmerzlich vermisse. Wichtig ist aber, daß es überhaupt wieder schöne Zeiten gibt. Wir erleben in unserer Familie gemeinsame Freuden, die er nicht mehr erleben sollte. Darüber bin ich traurig. Wichtig ist aber, daß wir noch Freuden erleben. Es hat für uns so sein sollen. Es soll auch für dich so sein.

Danksagungen

Viele Menschen, die zu meinem Leben gehören, haben auf ihre Weise zum Entstehen dieses Buches beigetragen.

Ich nenne Lucille DeView, für den ich meine erste Reportage schrieb. Er ist im Lauf der Jahre nicht nur mein Herausgeber geblieben, sondern mein Freund geworden.

Ich denke an liebe Freunde, die zur Stelle waren, als wir besonders nötig ihre Hilfe brauchten. Leute wie die Familien Stone und Ambrose, die uns nie allein gelassen haben.

Ich denke an liebe nahe Verwandte – Eltern, Geschwister –, die den Tod unseres Sohnes als ihren eigenen Verlust empfunden und die uns Schritt um Schritt in unserem Leid begleitet haben.

Ich denke an unsere Kinder, Dale und Stacie, und an Cindy, unsere Schwiegertochter, die alles Störende fernhielten, während ich dieses Buch schrieb. Alle drei haben mir in großzügiger Weise geholfen, wo es nötig war.

Ich denke an die Leute vom Verlag Crown, die erkannt haben, daß dieses Buch geschrieben werden mußte.

Ich möchte auch folgenden Personen für ihren Beitrag und für ihre weiterführenden Hinweise danken: Ronald Koenig, dem Gründer des Forschungszentrums für Tod, Sterben und Sterbeverhalten an der Universität von Detroit; Dr. Bruce Danto, Psychiater, Autor und Begründer des Selbstmordverhütungszentrums in Detroit und des Drogeninformationszentrums von Michigan; Dr. Joseph Fischoff, Chefarzt für Psychiatrie im Kinderkrankenhaus von Michigan; Dr. Elliot Luby, Direktor der Ambulanz des Lafayette-Krankenhaus in Detroit; Dr. F. Paul Pearsall, Leiter der Klinik für die Probleme des täglichen Lebens am Sinai-Krankenhaus in Detroit.

Ein besonderer Dank gilt Dr. Edward Green, dem Leiter der kardiologischen Abteilung des Kinderkrankenhauses von Michigan, für alle Beratung und alle Freundlichkeit, die er uns erwies, solange unser Sohn am Leben war.

Insbesondere danken möchte ich meinem Freund und Ratgeber Dr. John J. Pollack, Chefarzt des Kinderkrankenhauses von Michigan: für allen Beistand, alle Hilfe, alle Freundschaft, die er uns zu Robbys Lebzeiten und nach seinem Tod geschenkt hat.

Danken möchte ich auch den ungezählten anderen hinterbliebenen Eltern, die es mir erlaubten, ihre Erinnerungen wachzurufen und in ihre Trauer einzudringen. Sie haben es mir ermöglicht, dieses Buch zu schreiben.

Schließlich, vor allem, denke ich an Sandy, meinen ganz besonderen Freund und Ehemann, der mit mir litt und mit mir weinte und mit mir lachte und der entscheidend dazu beitrug, daß ich mir über meine Empfindungen klar werden und die verschiedenen Stadien unseres Trauerprozesses verstehen konnte.

Danke.

Brücken zum
Menschen –
Bücher vom
Kreuz Verlag

Zum Thema: Tod und Trauer

Elisabeth Kübler-Ross
Kinder und Tod
261 Seiten, gebunden

Dieses Buch vermittelt die vielfältigen Erfahrungen, die Elisabeth Kübler-Ross in vielen Jahren beim Umgang mit sterbenden Kindern und deren Eltern, Verwandten und Freunden gesammelt hat. An zahlreichen Beispielen macht sie deutlich, wie anders als wir Erwachsenen Kinder ihre Krankheit und ihr Sterben erleben. Für alle, die ein sterbendes Kind begleiten oder mit dem plötzlichen Tod durch Unfall, Mord oder Selbstmord von Kindern und Jugendlichen konfrontiert werden, ist dieses Buch eine unschätzbare Hilfe und ein großer Trost.

Verena Kast
Trauern
Phasen und Chancen des psychischen Prozesses
174 Seiten, kartoniert

Verena Kast bringt Licht in die bisher unerforschten Vorgänge des Trauerns. Sie zeigt an einer Traumserie, welche Phasen der Trauernde durchläuft, und wie Träume ihm zum Wegweiser werden können. Nicht Traurigsein allein, sondern auch Zorn, Aufarbeitung von Schuldgefühlen und die Suche nach einem neuen Lebenssinn gehören in den Trauerprozeß hinein.

»Das Buch von Verena Kast ist ohne Zweifel für alle, die denkend und nachdenklich Trauernde begleiten wollen und auch selbst Trauer zu bewältigen haben, eine ganz große Hilfe.« (Krankenpflegejournal)

Kreuz Verlag

dialog und praxis

Psychologie · Therapie · Lebenshilfe

Erich Fromm:
Psychoanalyse und
Ethik
dtv 15003

Erich Fromm:
Psychoanalyse und
Religion
dtv 15006

Erich Fromm:
Über den Ungehorsam
dtv 15011

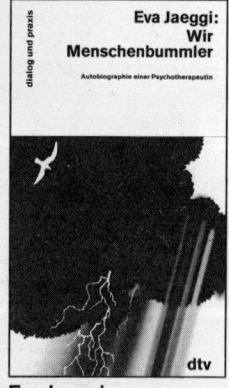

Eva Jaeggi:
Wir Menschenbummler
dtv 15014

Arno Gruen:
Der Verrat am Selbst
dtv 15016

Jerome D. Frank:
Die Heiler
dtv 15001

dialog und praxis

Psychologie · Therapie · Lebenshilfe

Jean Piaget:
Das moralische Urteil
beim Kinde
dtv 15015

Walter Kempler:
Grundzüge der Gestalt-
Familientherapie
dtv 15008

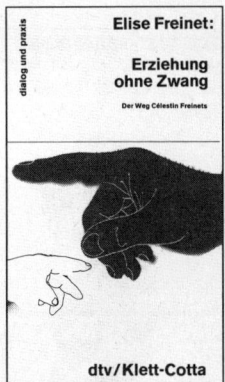

Elise Freinet:
Erziehung ohne
Zwang
dtv 15005

Katharina Zimmer:
Sie wollten nur mein
Bestes
dtv 15009

Rudolf Dreikurs, Shirley
Gould, Raymond J.
Corsini: Familienrat
dtv 15004

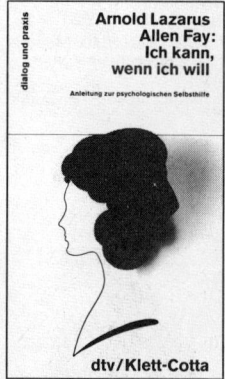

Arnold Lazarus,
Allen Fay:
Ich kann, wenn ich will
dtv 15002

dialog und praxis

Psychologie · Therapie · Lebenshilfe

Bruno Bettelheim:
Kinder brauchen
Märchen
dtv 15010

Bruno Bettelheim:
Kinder brauchen
Bücher
dtv 15000

Bruno Bettelheim:
So können sie nicht
leben
dtv 15007

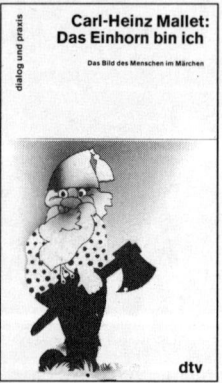

Carl-Heinz Mallet:
Kennen Sie Kinder?
dtv 15012

Carl-Heinz Mallet:
Das Einhorn bin ich
dtv 15013